劉福春・李怡 主編

民國文學珍稀文獻集成

第一輯

新詩舊集影印叢編　第22冊

【《雪朝》卷】

雪朝

上海：商務印書館 1922 年 6 月版

朱自清等　著

花木蘭文化出版社

國家圖書館出版品預行編目資料

雪朝／朱自清等 著 -- 初版 -- 新北市：花木蘭文化出版社，2016
〔民 105〕
204 面；19×26 公分
(民國文學珍稀文獻集成・第一輯・新詩舊集影印叢編 第 22 冊)
ISBN：978-986-404-622-5（套書精裝）
831.8 105002931

ISBN-978-986-404-622-5

民國文學珍稀文獻集成・第一輯・新詩舊集影印叢編（1-50 冊）
第 22 冊

雪朝

著 者 朱自清等
主 編 劉福春、李怡
企 劃 首都師範大學中國詩歌研究中心
北京師範大學民國歷史文化與文學研究中心
（臺灣）政治大學民國歷史文化與文學研究中心
總 編 輯 杜潔祥
副總編輯 楊嘉樂
編 輯 許郁翎
出 版 花木蘭文化出版社
社 長 高小娟
聯絡地址 235 新北市中和區中安街七二號十三樓
電話：02-2923-1455／傳真：02-2923-1452
網 址 http://www.huamulan.tw 信箱 hml 810518@gmail.com
印 刷 普羅文化出版廣告事業
初 版 2016 年 4 月
定 價 第一輯 1-50 冊（精裝）新台幣 120,000 元

雪朝

朱自清等 著

商務印書館（上海）一九二二年六月初版。原書三十二開。

雪朝

（新詩集）

文學研究會叢書

上海商務印書館發行

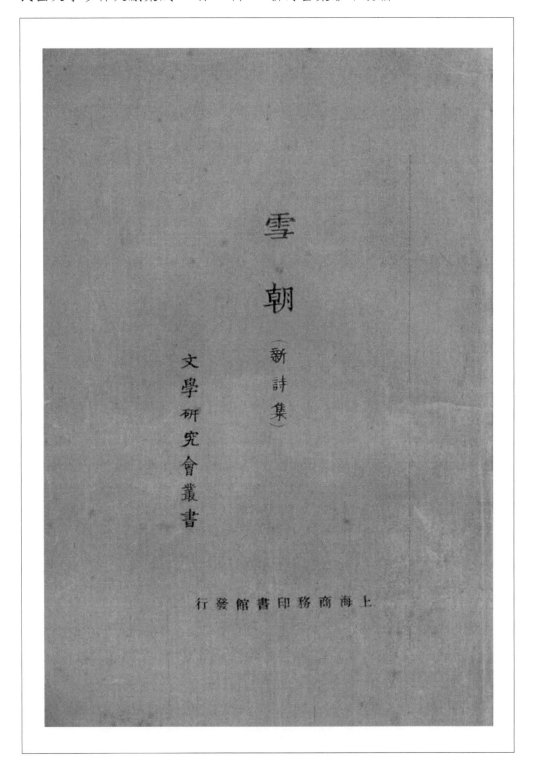

雪朝

文學研究會叢書

雪朝目次

短序

詩歌是人類的情緒的產品。我們心中有了強烈的感觸，不管他是苦的，樂的，或是悲哀而憤懣的，總想把他發表出來：詩歌便是表示這種情緒的最好工具。

詩歌的聲韻格律及其他種種形式上的束縛，我們要一概打破。因爲情緒是不能受任何規律的束縛的；一受束縛，便要消沉或變性，至少也要減少他的原來的強度。

我們要求『眞率』，有什麼話便說什麼話，不隱匿，也不虛冒。我們要求『質樸』，祇是把我們心裏所感到的坦白無飾地表現出來，雕斲與粉飾不過是『虛僞』的遁逃所，與『眞率』的殘害者。

雖然我們八個人在此所發表的詩，自己知道是很不成熟的，但總算是我們『眞率』的情緒的表現；雖不能表現時代的精神，但也可以說是各個人的人格或個性的反映。

如果我們這些弱小的呼聲，能夠稍稍在同情的讀者心中留下一個印象，引起他們的更高亢的回響，我們的願望便十分滿足了。

鄭振鐸 一九二二、一、十三、

第一集

朱自清作

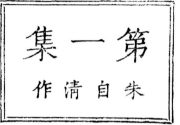

第一集目錄

「睡罷，小小的人。」

同住的查君從伊文思書館寄來的書目裏，得着一小幅西婦撫兒圖，下面題道，'Sleep, Little one'. 這幅畫很爲可愛。

「睡罷，小小的人。」
明明的月照着，
微微的風吹着——一陣陣花香，
睡魔和我們笑着。

「睡罷小小的人。」
你滿頭的金髮蓬蓬地覆着，
你碧綠地雙瞳微微地露着，
你呼吸着生命底呼吸。
呀，你浸在月光裏了，
光明的孩子，——愛之神！
「睡罷，小小的人。」
夜底光，
花底香，
母的愛，
穩穩地籠罩着你。
你靜靜地躺在自然底搖籃裏，

甚麼惡魔敢來擾你！
　「睡罷，小小的人。」
我們睡罷，
睡在上帝底懷裏：
他張開慈愛的兩臂，
摟着我們；
他光明的脣，
吻着我們；
我們安心睡罷，
睡在他的懷裏。
　「睡罷，小小的人。」
明明的日照着，
微微的風吹着——一陣陣花香，
睡魔和我們靠着。

——一九，二，二九，北京。

煤

你在地下睡着，
好腌臢，黑暗！
看着的人
怎樣地憎你，怕你！
他們說，

「誰也不要靠近他呵！……」

一會你在火園中跳舞起來，
黑裸裸的身材裏，
一陣陣透出赤和熱；
呵！全是赤和熱了，
美麗而光明！

他們忘記剛才的事，
都大張着笑口，
唱讚美你的歌；
又顛播身子，
湊合你跳舞底節。

——二〇，一，九，北京。

小草

睡了的小草，
如今蘇醒了！
立在太陽裏，
欠伸着，揉她們的眼睛。

萎黃的小草，
如今綠色了！
俛仰惠風前，
笑迷迷地彼此向着。

不見了的小草，
如今隨意長着了！
鳥兒快樂的聲音，
『同伴，我們別得久了！』
好濃的春意呵！
可愛的小草，我們的朋友，
春帶了你來麼？
你帶了她來呢？

——二〇，三，一八，北京。

北河沿底夜

沈默的天宇，
閃鑠的燈光；
暗裏流動着小河，
兩岸欹斜着柳樹。
樹們相向俛着，
要握手麼？
在商量小河底祕密麼？
樹們俛看小河，
河裏深深地映出許多影子。
這也是他們自己麼？
是他們生命底徵象麼？
岸上的燈光

從樹縫裏偷偷進來;
照得小河面上斑斑駁駁,
白一塊,黑一塊的,
像天將明時,東方的雲一樣。
那白處露出歷歷的皺紋,
顯出黑暗裏小河生活底煩悶。

——二〇,北京。

不足之感

他是太陽,
我像一枝燭光;
他是海,浩浩蕩蕩的,
我像他的細流;
他是鎖着的摩雲塔,
我像塔下襤褸者。
他像鳥兒有美麗的歌聲,
在天空裏自在飛着;
又像花兒有鮮豔的顏色,
在樂園裏盛開着;
我不曾有甚麼,
只好暗地裏待着了。

——二〇,一〇,三,杭州。

黑暗

這是一個黑漆漆的晚上，
我孤另另地在廣場底角上坐着。
遠遠屋子裏射出些燈光，
髣髴閃電的花紋，散着在黑絨氈上——
這些便是所有的光了。
他們有意無意地，
儘有微弱的力量跳蕩；
看哪，一閃一鑠地，

這些是黑暗底眼波喲！
顫動的他們裏，
憧憧地幾個人影轉着；
周圍的柏樹默默無言地嚮着。……
一片——世界底聲；市聲，人聲；
從遠遠近近所在吹來的，
洶湧着，融和着。……
這些是黑暗底心瀾喲！
廣場的確大了，
大到不能再大了：
黑暗底翼張開，
誰能想像他們的界線呢？——

他們又慈愛，又溫暖，
甚麼都願意讓他們覆着；
所有的自己全被忘却了。
一切都黑暗，
『咱們一夥兒！』

——二，一一，七，杭州。

靜

淡淡的太陽懶懶地照在蒼白的牆上；
纖纖的花枝綿綿地映在那牆上。

我們坐在一間『又大又靜又空』的屋裏；
慢騰騰地，甜蜜蜜地看着
太陽將花影輕輕地，秒秒地移動了。

屋外魚鱗似的屋；
螺髻似的山；
白練似的江；
明境似的湖。
地上的一切，一層層屋遮了；
山上的，一疊疊青掩了；
水上的，一陣陣煙籠了。
我們儘默默地向着，
都不曾想甚麼；

只有一兩個遊客門外過着，
『珠兒，』『珠兒』地雛鷹遠遠地唱着。
——二，一，二，二二，
杭州，城隍山，四景園。

冷淡

『像一張碟子，』（一）

他看着我。
從他的眼光裏，
映出一個個被輕蔑和玩弄的我。
他譏諷似地說了些話，
又遮遮掩掩佯笑着；
像利劍刺在我心裏。
　我懇摯地對他
說出那迫切的要求。
他板板臉聽着，
慢條斯理，有氣沒力地答應；
最後說『我不能哩。』——
又遮遮掩掩佯笑着，去了。

（一）『波蘭底小說家曾說一個貴族看「人」好像是看一張碟子。』——見周作人先生遊日本雜感。

我神經大約着了寒，
都痙攣般抽搐着；
我只有顫巍巍哭了！

——二一，二，二二，杭州。

心悸

給我心的
給我未生者底心。
世界是太大了，
她只是悸呵。

我把嘴兒親她，
淚兒洗她。……
我放她在太陽底下，
讓他照她，
和風吹她，
細雨潤她，……
我薰她在薔薇園裏，
我暖她在鵪鴣腹下。……
父底愛，
妻底愛，
愛我的底愛，
旋渦般流着她。……

世界是太大了，
她只是悸呵！
　給我心的……
恕我無力；
還了你這悸的也能！
　　——二，三，一三，杭州。

旅路

我再三說，我倦了，
恕我，不能上前了！

十

春底旅路裏所有的悅樂，
我曾儘力用我淺量的心吸飲。
悅樂到底乾涸，
我的力量也暗中流去。
恕我，不能上前了！
希望逼迫地引誘我，
又安慰我，
『就回去哩！』
我不信希望，
卻被勸着默默地將運命交付了她。——
無力的人們
怎能行他所願呢？

焦了每次微跳的心，
竭了每滴潛藏的力：
唉！眼前已是我的屋裏了！
唉眼前已是我的屋裏了！
疲倦電一般抽擒着全身；
我倒在地上，
我容伸着兩手躺在地上！
——上帝，你奪去我所有的，
賜我些甚麼呢？
可憐你無力的被創造者，
別玩弄地寵着了；
取回他所僅存的，
兌給他「安息」罷！——
他專等着這個哩。
——一二，三四，二五，杭州。

人間

那藍褂兒，草鞋兒，
赤了腿，敞着胸的朋友
挑副空的籮擔來了。
他遠遠地見着——
見了歧路中彷徨的我；

他親親熱熱地招呼，
『你到那裏？』
我意外地聽他，
迫切地答他時，
他慇懃指點我；
他有黑而乾燥的面龐，
灰色凝滯的眼光，
和那天然的粗澀的聲調。
從這些裏，
我接觸着他純白的眞心。
但是，我們幷不曾相識。

　她穿的紫襖兒，
緊的黑裙兒，
走在她母親後面。
她伶俐的身材，
停勻的脚步，
和那白色的臉兒，
端莊，沈靜，又和藹的，
妙莊嚴的臉兒：
在我車子過時，
一閃地都收入我眼底。
那時她用融融的眼波
隨意地看我；
我回過頭時，

二

她還在看我：——
眞的，她再三看我，
從她雙眼裏，
我接觸着她爛漫的眞心。
但是，我們并不曾相識。

——二一，五，杭州。

轉眼

轉眼的韶華
霎地又到了黃梅時節。

聽——點點滴滴的江南；
看——僝僝僽僽（一）的天色；
是處找不着一個笑呵。
人間底那角上，
儘冷清清裹裹着他遊子。
熟梅風吹來瀰天漫地的愁，
絮團團擁了他；
他怯怯的心絃們，
春天和暖的太陽光裏
裊着的遊絲們底姊妹們；
只輭輭輕輕地彈唱，

（一）僝僽音ㄔㄢ，ㄓㄡ，此地用爲「愁慘」之意。

彈唱着那
溫柔的四月裏
白花開時，
智慧者用了灌溉羣芳的
如酥的細雨般的調子。
她們唱道，
『這樣無邊愁海裏浮沈着的，
可怎了得呵！』
伊們憂慮着將來，
正也惆悵着過去。
　她們唱呵：
去年五月，

十四

濕風從海濱吹來，
燕子從北方回去的時候，
他開始了他的旅路。
四年來的老伴，
去去留留，暫離還合的他倆，(二)
今朝分手——今朝分手。
伊儘回那
臨別的秋波；
喜麼？
嗔麼？
他那裏理會得？

(二) 我在北京讀書四年；每年暑假回家兩月。

那容他理會得！
他們呢？
新交得識的他們，
也膩了面面兒相覷；
只有淡淡的一杯白酒，
悄悄地擱在他前；
另有微顫的聲浪：
「江南沒熟人哩；
喝了我們的去罷……」
他飛眼四面看了，
一聲不響飲了。——
他終於上了那旅路。

她們唱呵：
這正是青年的夏天，
和他攜着手走到江南來了。
覷覷着他的臉兒，
忐忑着他的心兒；
趦趄(三)着，
踅(四)罷。
東西南北那眼光
驚驚詫詫地睒(五)他。

(三)趦趄，音ㄗ，ㄐㄩ，「行不前」之意。
(四)踅，音ㄓ，側足輕步。
(五)睒，音ㄕㄚ，目睫動。

他打了幾個寒噤，
頭是一直垂下去了。
他也曾說些什麽，
他們好奇地聽他；
但生客們的語言，
怎能夠被融洽呢？
「可厭的！」——
從他在江南路上，
初見湖上的輕風
俯着和昔黃綠草裏
隨意開着
沒有名字的小白花們
私語的時候，
他所時時想着，也正怕着的
那將賜給生客們照例的詛咒，
終於被賜給了；
還帶了虐待來了。
可是你該知道，
怎樣是生客們底暴怒呵！
羞——紅了他的臉兒，
血——催了他的心兒；
他掉轉頭了，
他拔步走了；
他說，

他不再來了！
生客底暴怒，
却能從他們心田裏，
喚醒了
那久經睡着的，
不相識者的同情；
他們正都急哩！
狂熱地趕着，
沙聲兒喊着：
「爲甚撇下愛你的我們？
爲甚棄了你愛的朋友？」
他的臉於是酸了，

他的心於是軟了；
他只有留下，
留下在那江南了。
　她們唱呵：
他本是一朵蓓蕾，
是誰掐了他呢？
誰在火光當中
逼着他開了花，
暴露在驕傲的太陽底下呢？
他總只有怯着！
等呵！只等那灰絮絮的雲帷，
——唉，黑茸茸的夜幕也好——

遮了太陽底眼睛時，
他才敢躲在樹蔭裏苦笑，
他才敢躲在人背後享樂。
可是不倦的是太陽；
——他蒙了臉時終是少呵！
客人們倒眞「花」一般愛他；
但他總覺當不起這愛，
他只羞而怕罷！
却也有那無賴的糟蹋他，
太陽裏更不免有醜事嘔他；
他又將怎樣惱恨呢？——
儘顛顛倒倒的終日，
飄飄泊泊了一年，
他總只算硬着罷。
可憐他疲倦的青春呵！
　愁呢，重重疊疊加了，
絃呢，顫顫巍巍岔了；
亂着的，纏着了，
唱着的，默着了。
理不清的現在，
摸不着的將來，
誰可懂得，
誰能說出呢？
况他這隨愁上下的，

在茫茫漠漠裏，
還能有所把握麼？
待順流而下能，
空辜負了天生的「我」；
待逆流而上呵，
又慚愧着無力的他。
被風吹散了的，
被雨滴碎了的，
只賸有躑躅，
只賸有徬徨；
天公却儘苦着臉，
不瞅不睬地相向。——
可是時候了！
這樣莽莽蕩蕩的世界之中，
到底那裏是他的路呢！

自從

（一）

自從撒旦摘了「人間底花」，
上帝時常嘆息，
又時常哀哭，
所以才有風雨了。

因爲只要眞實的東西，
撒旦他丟給人們
那朦朧的花影；
便是狂醉裏，幻想中，
睡夢邊，風魔時，
和我們同在的了。

(二)

也有芳草們連天綠着，
槐陰們夾道遮了；
也有薔薇們攜手笑着，
梅花們冒雪開了。
便是風，也溫溫可愛啊；

便是雨，也楚楚可憐啊。
但我們——
我們被掠奪的，
從我們心上
失去了「人間底花」
却憑甚麼和他們相見，
憑甚麼和他們相見呢？
我們眼睜睜望着；
他們也眼巴巴瞧着。
『接觸着麼』？
『無這力啊！』
望的够倦了，

瞧的也漠然了；
隔膜這樣成就，
我們便失了他們了！

（三）

『找我們的花去罷！』
都上了人生底旅路。
我清早和太陽出去，
跟着那模糊的影子，
也將尋我所要的。
夜幕下時，
我又和月亮出去，
和星星出去；
沒有星星，
我便提了燈籠出去。
我尋了二十三年，(一)
祇有影子，
祇有影子啊！
近，近，近，——眼前！
遠，遠，遠，——天邊！
脣也焦了；
足也燒了；
心也搖搖了；
我流淚如噴泉，

(一)我今年二十三歲

伸手如乞丐：
我要我所尋的，
却尋着我所不要的！——
因為誰能從撒旦手裏，
尋回那已失的花呢？

（四）

可是——
都躍躍躍躍地要了，
都急急急地尋了！
得不着是同然；
却彼此遮掩着，
詛笑着，又詛咒着：

像輕烟籠了月明一般，
疑雲幕了人們底眞心了。
於是歆慕開始了；
嫉妬也開始了；
覬覦和刼奪都開始了。
我們終於彼此撒手！
我們終於彼此撒手！

（五）

我們的地母，
那「白髮蒼蒼，悲悲慘慘」的地母呵，
却合了掌給我們祝福了；
伊只有徒然的祝福了！——

清淚從伊乾癟的眼眶裏，
像瀑布般流瀉；
那便是一條條的川流了。

(六)

癡的儘管默着，
乖的終要問呵：
『倘然「人間底花」再臨於我，
那必在甚麼時候呢？』
告訴你聰明的人們：
直到他倆底心
都給悲哀壓碎了，
滿天雨橫風狂，
滿地洪流氾濫底時候，
世界將全是撒旦的國土，
全是睡和死底安息；
那時我們底花
便將如錦繡一般，
開在我們的眼前了！

——二，一〇，吳淞。

雜詩三首

(一)

風沙捲了，
先驅者遠了！

（二）

疊花開到眼前時，
便向她蟬翼般影子裏
將憂愁葬了。

（三）

無力——還在家裏罷；
滿街是詛咒啊！

——二，二一，上海。

依戀

坐到三等車裏，
模糊念着上海的一月，
我的心便沈沈了。

——二，二，二八，滬杭車中。

睜眼

夜被喚回時，
美夢從眼邊飛去。

熹微的晨花裏，
先鋒們底足跡，
牧者們底鞭影，
都晃蕩着了，
都照耀着了。
是怕？是羞？
於那漫漫的前路。
想裏足嗎？徒然！
且一步步去挨着睃——
直到你眼不必睜，不能睜底時候。

——二一，一二，杭州。

星火

『在你靡來這四五個月，
我老子死了，
娘也沒了；
只賸我獨自一個了！』
賣酥餃兒(一)的
那十八九歲的小子，
在我這回重見他時，
質樸而懇摯地向我說。
這教我從來看兄弟們作蕎生人的

驚訝，也羞慚；
終於悲哀着感謝了。
　　回頭四五月前，
一元錢底買賣
結識了他和我。
他儘般般的，
我只冷冷的；
差別底心思
分開了我們倆，
從手交手底當兒。
我未曾想着，
誰也該忘了罷。

却不道三兩番顛沛流離以後，
還有這密密深深的繫口，
於他剎那的朋友！
我的光榮呵；
我若有光榮呵！
　　記得那日來時，
油鑊裏煎着餃兒的，
還有那慈祥而憔悴的婦人；
許就是他的娘了。
一個平平常常的婦人，
能有些什麼，
於這漠漠然的我！

况她已和時光遠了呢？
可是——眞有點奇呵，
那溫厚的容顏
驟然湧現於我朦朧的雙眼！
在肩摩踵接的大街中，
我依依然有所思了；
茫茫然有所失了！
我的悲哀——
雖然是天鵝絨樣的悲哀呵！

二一，一二，三一。

第二集

周作人作

第二集目次

兩個掃雪的人

陰沈沈的天氣，
香粉一般的白雪，下的漫天遍地。
天安門外，白茫茫的馬路上，
全沒有車馬蹤跡；
只有兩個人在那里掃雪。
一面儘掃，一面儘下；
掃淨了東邊，又下滿了西邊，
掃開了高地，又填平了坳地。
粗麻布的外套上已經積了一層雪，
他們兩人還只是掃個不歇。
雪愈下愈大了；
上下左右都是滾滾的香粉一般的白雪。
在這中間，好像白浪中漂着兩個螞蟻，
他們兩人還只是掃個不歇。
祝福你掃雪的人！
我從清早起，在雪地裏行走，不得不謝謝你。

一九一九年一月十三日在北京

小河

一條小河，穩穩的向前流動。
經過的地方，兩面全是烏黑的土；
生滿了紅的花、碧綠的葉，黃的果實

一個農夫背了鋤來，在小河中間築起一
道堰，下流乾了；上流的水被堰攔着，下來不得：
不得前進，又不能退回，水只在堰前亂轉。
水要保他的生命，總須流動，便只在堰前亂轉。
堰下的土，逐漸淘去，成了深潭。
水也不怨這堰，——便只是想流動，
想同從前一般，穩穩的向前流動。

一日農夫又來，土堰外築起一道石堰。
土堰坍了；水衝着堅固的石堰，還只是亂轉。

堰外田裏的稻，聽着水聲，皺眉說道，——
「我是一株稻，是一株可憐的小草，
我喜歡水來潤澤我，
怯怕他在我身上流過。
小河的水是我的好朋友；
他曾經穩穩的流過我面前，
我對他點頭，他向我微笑。
我願他能夠放出了石堰，
仍然穩穩的流着，
向我們微笑；
曲曲折折的儘量向前流着，
經過的兩面地方，都變成一片錦繡。

他本是我的好朋友，
只怕他如今不認識我了；
他在地底裏呻吟，
聽去雖然微細，卻又如何可怕！
這不像我朋友平日的聲音，
——被輕風攙着走上沙灘來時，
快活的聲音。
我只怕他這回出來的時候，
不認識從前的朋友了，——
便在我身上大踏步過去；
我所以正在這裏憂慮。」
田邊的桑樹，也搖頭說，——
「我生的高，能望見那小河，——
他是我的好朋友，
他送清水給我喝，
使我能生肥綠的葉，紫紅的桑葚。
他從前清澈的顏色，
現在變了青黑；
又是終年掙扎，臉上添出許多痙攣的皺紋。
他只向下鑽，早沒有工夫對了我的點頭微笑；
堰下的潭，深過了我的根了。
我生在小河旁邊，
夏天曬不枯我的枝條，

冬天凍不壞我的根。
如今只怕我的好朋友，
將我帶倒在沙灘上，
拌着他捲來的水草。
我可憐我的好朋友，
但實在也為我自己着急。
　田裏的草和蝦蟆，聽了兩個的話，
也都歎氣，各有他們自己的心事。
　水只在堰前亂轉；
堅固的石堰，還是一毫不搖動。
築堰的人，不知到那裡去了。

一月二十四日

三十二

背槍的人

　早起出門，走過西珠市，
行人稀少，店舖多還關閉，
只有一個背槍的人，
站在大馬路裏。
我本願人「賣劍買牛賣刀買犢，」
怕見惡很很的兵器。
但他長站在守望面前，
指點道路，維持秩序，

只做大家公共的事；
那背槍的人
也是我們的朋友，我們的兄弟。

三月七日

畫家

可惜我並非畫家，
不能將一枝毛筆，
寫出許多情景。——
兩個赤脚的小兒，
立在溪邊灘上，
打架完了，
還同築爛泥的小堰。

車外整天的秋雨，
靠窗望見許多圓笠，——
男的女的都在水田裏，
趕忙着分種碧綠的稻秧。(註一)

小胡同口
放着一副菜擔，——
滿擔是青的紅的蘿蔔，
白的菜，紫的茄子；

(註一)以上兩節係夏間在日本日向道中所見。

賣菜的人立着慢慢的叫賣。

　初寒的早晨，
馬路旁邊，靠着溝口，
一個黃衣服蓬頭的人，
坐着睡覺，——
屈了身子，幾乎疊作兩折。
看他背後的曲線，
歷歷的顯出生活的困倦。
　這種種平凡的眞實印象，
永久鮮明的留在心上；
可惜我並非畫家，
不能用這枝毛筆，

將他明白寫出。

九月二十一日

愛與憎

　師只教我愛，不教我憎；
但我雖然不全憎，也不能盡愛。
愛了可憎的，豈不薄待了可愛的？
　農夫田裏的害蟲，應當怎麼處？
薔薇上的青蟲，看了很可憎；
但他換上美麗的衣服，翩翩的飛去。

稻苗上的飛蝗，披着可愛的綠衣，
他却只喫稻苗的新葉。
我們愛薔薇，也能愛蝴蝶。
為了稻苗，我們却將怎麼處？

十月一日

荊棘

我們間壁有一個小孩，
他天天只是啼哭。
他要在果園的周圍，
添種許多有刺的荊棘。
間壁的老頭子發了惱，
折下一捆荊棘的枝條；
小孩的衣服掉在地上，
荊條落在他的背上。
他的背上著了荊條，
他嘴裏還只是啼哭，
他要在果園的周圍，
添種許多有刺的荊棘。

一九二〇年二月七日

所見

三座門的底下，
兩個人並排着慢慢地走來。
一樣的憔悴的顏色，
一樣的戴着帽子，
一樣的穿着袍子，
只是兩邊的袖子底下，
拖下一根青麻的索子。
我知道一個人是拴在腕上，
一個人是拿在手裏；
但我看不出誰是誰來。

皇城根的河邊，
幾個破衣的小孩們
聚在一處游戲。
「馬來，馬來！」
騎馬的跨在他同伴的背上了。
等到月亮上來的時候，
他們將柳條的馬鞭抛在地上。
大家說一聲再會，
笑嘻嘻的走散了。

一九二〇年十月二十日。

兒歌

小孩兒，你爲什麽哭？
你要泥人兒麽？
你要布老虎麽？
也不要泥人兒，
也不要布老虎。
對面楊柳樹上的三隻黑老鴰，
哇兒哇兒的飛去了。

慈姑的盆

綠盆裏種下幾顆慈姑，
長出青青的小葉。
秋寒來了，葉都枯了，
只剩了一盆的水。
清冷的水裏，蕩漾着兩三根
飄帶似的暗綠的水草。
時常有可愛的黃雀，
在落日裏飛來，
蘸水悄悄地洗澡。

十月二十一日

秋風

一夜的秋風，
吹下了許多樹葉，
紅的爬山虎，
黃的楊柳葉，
都落在地上了。
只有槐樹的豆子，
還是疎朗朗的挂着。

幾棵新栽的菊花，
獨自開着各種的朵。
也不知道他的名字，
只稱他是白的菊花，黃的菊花。

十一月四日

夢想者的悲哀

讀倍貝爾的婦人論而作

「我的夢太多了。」
外面敲門的聲音，

恰將我從夢中叫醒了。
你這冷酷的聲音，
叫我去黑夜裏遊行麼？
阿，曙光在那里呢？
我的力量太小了，
我怕要在黑夜裏發了狂呢！

穿入室內的寒風。
不要吹動我的火罷。
燈火吹熄了，
心裏的微焰却終是不滅，——
只怕在風裏發火，
要將我的心燒盡了。
阿，我心裏的微焰，
我怎能長保你的安靜呢？

一九二一年三月二日病後。

過去的生命

這過去的我的三個月的生命，那里去了？
沒有了，永遠的走過去了！
我親自聽見他沉沉的緩緩的一步一步的，
在我床頭走過去了。
我坐起來，拿了一枝筆，在紙上亂點，

想將他按在紙上，留下一些痕迹，——
但是一行也不能寫，
一行也不能寫。
我仍是睡在牀上，
親自聽見他沉沉的緩緩的，一步一步的，
在我牀頭走過去了。

四月四日在病院中

中國人的悲哀

中國人的悲哀呵，

我說的是做中國人的悲哀呵。
也不是因爲外國人欺侮了我；
也不是因爲本國人迫壓了我：
他並不指着姓名要打我，
也並不喊着姓名來罵我。
他只是向我對面走來，
嘴裏哼着些什麽曲調，一直過去了。
我睡在家裏的時候，
他又在牆外的他的院子裏，
放起雙響的爆竹來了。

四月六日

歧路

荒野上許多足跡，
指示着前人走過的道路。
有向東的，有向西的，
也有一直向南去的；
這許多道路究竟到一同的去處麼？
我的性靈使我相信是這樣的。
而我不能決定向那一條路去，
只是睜了眼望着，站在歧路的中間。

我愛耶穌，
但我也愛摩西。
耶穌說，「有人打你右臉，連左臉也轉過來由他打，」
摩西說「以眼還眼，以牙還牙，」
吾師乎，吾師乎！
你們的言語怎樣的確實啊！
我如果有力量，我必然跟耶穌背十字架去了。
我如果有較小的力量，我也跟摩西做士師去了。
但是懦弱的人，
你能做什麼事呢？

四月十六日

蒼蠅

我們說愛，
愛一切衆生；
但是我——却覺得不能全愛。
我能愛狼和大蛇，
能愛在林野背景裏的豬。
我不能愛那蒼蠅。
我憎惡他們，我詛咒他們。
大小一切的蒼蠅們，
美和生命的破壞者，
中國人的好朋友的蒼蠅們啊！
我詛咒你的全滅
用了人力以外的
最黑最黑的魔術的力。

四月一八日

小孩

一個小孩在我的窗外面跑過，
我也望不見他的頭頂。

他的腳步聲雖然響，
但於我還很寂靜。
東邊一株大樹上，
住着許多烏鴉，又有許多看不見的麻雀，
他們每天成羣的叫，
彷彿是朝陽中的一部音樂。
我在這些時候，
心裏便安靜了，
反覺得以前的憎惡，
都是我的罪過了。

四月二十日

小孩

一

我看見小孩，
每引起我的貪欲，
想要做富翁了。
我看見小孩，
又每引起我的瞋恚，
令我嚮往種種主義的人了。
我看見小孩，
又每引起我的悲哀.

灑了我多少心裏的眼淚。
阿，你們可愛的不幸者，
不能得到應得的幸福的小人們
我感謝種種主義的人的好意，
但我也同時體會得富翁的哀愁的心了。

二

荊棘叢裏有許多小花，
長着憔悴嫩黃的葉片。
將他移在盆裏端去培植麼？
拿鋤頭來將荊棘掘去了麼？
阿，阿，
倘使我有花盆阿！
倘使我有鋤頭阿！

五月四日

山居雜詩

一

一叢繁茂的藤蘿，
綠沉沉的壓在彎曲的老樹的枯株上，
又伸着兩三枝粗藤，
大蛇一般的纏到柏樹上去；
在古老深碧的細碎的柏葉中間，

長出許多新綠的大葉來了。

二

六株盆栽的石榴，
圍繞著一大缸的玉簪花，
開著許多火焰似的花朵。
澆花的和尚被捉去了，
花還是火焰似的開著。

三

我不認識核桃，
錯看他作梅子，
賣汽水的少年，
又說他是白果。
白果也罷，梅子也罷，
每天早晨去看他，
見他一天一天的肥大起來，
總是一樣的喜悅。

六月十日在西山

四

不知什麼形色的小蟲，
在槐樹枝上吱吱的叫着。
聽了這迫切尖細的蟲聲，
引起我一種彷彿枯焦氣味的感覺。
我雖然不能懂得他歌裏的意思，
但我知道他正唱着迫切的戀之歌，

這却也便是他的迫切的死之歌了。

六月十七日晚

五

一片槐樹的碧綠的葉，
現出一切的世界的神祕；
空中飛過的一個白翅膀的百蛉子，
又牽動了我的驚異。
我彷彿會悟了這神祕的奧義，
却又實在未曾了知。
但我已經很是滿足，
因爲我得見了這個神祕了。

六月二十一日

六

後窗上糊了綠的冷布，
在窗口放着兩盆紫花的松葉菊；
窗外來了一個大的黃蜂，
嗡嗡的飛鳴了好久，
却又惘然的去了。
阿，我眞做了怎樣殘酷的事呵！

六月二十二日

七

「蒼蠅紙」上吱吱的聲響，
是振羽的機械的發音麼？
是訴苦的恐怖的叫聲麼？

「蟲呵，蟲呵！難道你叫着，業便會盡了麼？」（註一）
我還不如將你兩個翅子都粘上了罷。

二十五日

對於小孩的祈禱

小孩呵，小孩呵，
我對你們祈禱了。
你們是我的贖罪者。
請贖我的罪罷，

（註一）這是日本古代失名的一句詩。

還有我所未能贖的先人的罪，
用了你們的笑，
你們的喜悅與幸福，
用了得能成爲眞正的人的矜誇。
在你們的前面，有一個美的花園。
從我的上頭跳過了，
平安的往那邊去罷。
而且請贖我的罪罷，——
我不能夠到那邊去了，
併且連那微茫的影子也容易望不見了的罪
（註一）

（註一）這首詩當初用日本語所寫，登在幾

八月二十八日在西山作。

小孩

一

我初次看見小孩了。

我看見人家的小孩，覺得他可愛，

個日本的朋友所辦的雜誌「生長的星之羣」一卷七號上。曾譯作國語寄給新青年社，但是沒有留稿，現在重譯一回，文句上不免有點異同，特加說明。一九二二年一月七日附記。

因為他們有我的小孩的美，
有我的小孩的柔弱與狡獪。
我初次看見小孩了，
看見了他們的笑和哭，
看見了他們的服裝與玩具。

二

我眞是偏私的人呵。
我為了自己的兒女纔愛小孩，
為了自己的妻纔愛女人，
為了自己纔愛人。
但是我覺得沒有別的道路了。

一九二二年一月十八日。

第三集

俞平伯作

第三集目次

勝利者

上帝給了人們一個樂園，
有大地一般的廣大，
有清朗的天，
有純潔的氣，
有叫着的鳥兒，
有開着的花兒。
——
只因人們想要有更好的！

於是——
天朦朧了，煤烟薰着；
氣骯髒了，塵埃蒙着；
鳥底啼叫被摩托震亂了，
不如歌女底聲，這樣婉妙；
花底顏色被電光曬萎了，
不如娼妓底妝，這樣艷嬌。
——
樂園荒了，
人們只是擠着。
雖悶極了，
還不够立足的地方呢。

拿幾十層的高樓，
像貨棧裏似的，
把我們上下的堆着罷！

這樣，巧極，好極，
再巧不過的了！
再好不過的了！
人們以爲是一件大功，
欣欣地把上帝請到他們底新的樂園裏去，
似有想羞他底意思。
果然，上帝臉紅了，
果然，說不出什麼話來！

因爲上帝都會害羞，不言不語的，
他們更高興了！
他竟也有不能的時候，
況且我們能他底所不能呢！
這樣，狹的籠，
眞是我們大大的一功，
動不得的，動不得的那光榮。
人們守着狹的籠，
上帝永遠是臉紅；
上帝底臉這樣紅，

人們更要守着狹的籠。

——二二，五，滬杭道中。

山居雜詩

I

留你也忽忽去，
送你也忽忽去；
然則——送你能！

II

把枯樹林染紅了，紫了，

III

夕陽就將不見了。

都是檢木柴的，
都是掃枯葉兒的，
正劈栗花喇的響哩。

IV

山中的月夜，
月夜的山中：
露華這樣重，
微微凝了，霜華也重；
有犬吠聲破那朦朧。

V

憑倚在暗的廡廊下，
漸能相忘於清冷之間；
忽然——三四星的燈火，
對山坳裏明着，
且向下山的路動着，
我不禁依然如有失了。

一九二二，一，六——八，
——杭州山中。

愚底海

愚人掉在海裏，
聰明人在岸灘上，
很有憐惜他的樣子。

——

『朋友！說你是愚人，可是嗎？』
恭恭敬敬的回答，
『先生，正是呢！』

——

『那麼，你所知道的
比我少罷。』
『一定是如此！』

——

「我知道山你……」
「我也知道。」
「水呢？」
「知道的！」
「花，草，鳥兒呢？」
「知道的！」
「宇宙間底，這和那？」
「更知道了！更知道了！」
——
聰明人詫異着，
覺得今天也有些不聰明了。
「愚先生，你能告訴我，
所不知道的是什麼？」
「我不知道我自己，
所以人們說我是愚人；
你不知道我是怎樣的我，
怕你也是個愚人呢！」
——
撲冬，一堆兒海底去了，
岸上一個人影兒都沒有了。
——三，二十，上海。

聽了胡琴之後

絃索底繁音，
總使客人們睡不着覺。
在喧鬧的旅舍，
是習慣而平常的。

——

今天呢，我又睡不着；
胡琴雖早不拉了，
但是聽了胡琴之後……

——二二，十一，上海

斷鳶

風箏想飛上天，
被一縷游絲繫定了；
上去下來，
翁翁的不知怨誰哩？

——

『不要叫了，放了你罷！』
游絲依依的斷，
風箏翩翩的飛了！

——

白的雲，青的天，
孤零零的飄游着的他，
又回憶那時牽縈着的滋味來。

「上什麼天呢，還是回來罷！」

——

在茫昧的人間，
這縷曾繫風箏的游絲，
那裏去了？
只好讓罡風也把我吹化了哪！
但罡風偏又來得遲遲的。

——

飄搖地，他去了，
他眞無可奈何的去了！

——二二，十二，滬杭道中。

他

他爲她，心碎了，
她說，你怎沒有心了呢；
於是獨自去哭着。

——

他爲所戀者活着，
但又要爲他自己活着；
所以成了自私的人。

——

他只能愛幾個人罷了，

尙且得不到原諒呢，
况在這幾個人們以外。

——

心被他們賺去了，
他們却忘懷所賺去的是什麼！

——

他不知道爲着什麼，他去活着，
他知道的，願意爲着什麼，
他去活着。

——

和平可愛喲，也可羞喲，
爲什麼不長愛和平？
因他有害羞的時候。

——

百年如一日，
信是不可堪的；
但時時刻刻的流轉，
他不免又在回想上惋惜着了。

——二二，二，二十一，杭州。

暮

敲罷了三聲晚鐘，

把銀的波底容,
黛的山底色,
都銷融得黯淡了,
在這泠泠的清梵音中。

——

暗雲層疊,
明霞臏有一縷;
但湖光已染上金色了。
一縷的霞,可愛哪:
更可愛的只這一縷哪:

——

太陽倦了,
自有暮雲遮着;
山倦了,
自有暮烟凝着;
人倦了呢?
我倦了呢?

萍

人生有些像浮萍罷!
雖未必是,
却總能彷彿着的。

——萍為什麼去飄流？
這似乎由我們看去，是個愚問了；
但於浮萍，或者不如此。
——
不然：
相似的問題，
且相似的愚；
我們為什麼時時念着？

我與詩

我在樓上寫詩，
寫完了，
不是我底了；
讀了一遍三四遍後，
我也不見了。

——二二，二，三，杭州湖上。

冬夜付印題記

花影底綽約，却是銀灰色的。
影兒雖得花啊，

花終不願拋撇她依依的影。

偶成兩首

I

短到很可憐，
長就有些兒怕；
這不獨使我為難了，
且他也如此。

II

什麼是遍人間的？
一個笑，一個惱，
一個慘且冷的微笑；
只是大家都默着。
什麼是遍人間的？
……………………

——二二，二，七，杭州。

春底一回頭時

桃花開謝了，
漫天楊花兒飛；
一團一團的，把春光捲去。
——
黃胡蜨們，

喝了白荼蘼的酒，
嗅了白酒的荼蘼，
醉也醉在她心裏，
睡也睡在她心裏。

——

翠鵰哥兒也說：
「去呀去」！！
却沒有說「那裏去」，
金的籠絲瑪瑙嘴，
只是金的籠絲瑪瑙嘴！

——

春底回頭時，

把所有的惆悵一伙兒給帶跑了；
於是——以後暮春之在人間，
一例一例的不敢回頭了！

——二二，二，九，杭州

薄戀

影兒正依着，
夕陽又偎傍到那雙影兒。
夕陽怕他倆散啊，
他倆怕夕陽躲啊！

終於散了，
終於睽了；
分手，遠了，
淚不禁垂垂而浪浪的下來。

二，二，九，杭州。

春寒

春底一回頭時稿成後，給佩弦看。他對於末節以為頗不易了解，這正是我表現力薄弱底一證。他回校以後，我又成此詩，或可與前詩之意相發明，卽以呈佩弦。

許多嫩黃的柳芽，聽春天到了，急忙忙跑了出來。
那裏知道她們出來的時分，輕風驟然地轉冷，
把何方底急雨送來了。
因雲物底高寒，轉眼又紛紛揚揚一天的春雪；
珠形的，漸漸球形的，片形的，都向弱柳枝頭翩翩飛到。
她們底頭垂了，她們底腰折了；不怨春來得好早，只怨春寒去得太遲啊！

——

來了個踏雪的人，穿着靴，低着頭，以很軟很沙

的聲音走着。

到了隄邊，正是那柳下的隄邊；
沒覺得呢，還信步的走他底。
直等到壓斷柳梢的積雪，灑了他一臉，方才把
驚詫的顏色去抬頭一望，頓然心裏重了。
他不知道爲什麼。

——

走了十幾步，不禁的又回頭，他覺得全身都重
了。
細柳還在雪中擺搖着，他却沒有知道爲什麼。

——

每到一回頭時，身上，心頭，必添重了幾斤。

那時候，雪柳已小到似枝草了，他始終不知道
爲什麼！

——

已不見頻頻回他底頭；
他或者——到現在——方才知道了，
也或者，頭依然的回着呢，
只是走得太遠了，太遠罷了！

一二，二十一，杭州。

第四集

徐玉諾作

第四集目錄

雜詩

（一）

提起筆寫了句「兩地相思」

苦思不知怎麼寫，
少不得又把筆放起。
　桂花不惜她那小身分
止不住一陣陣放香，
鬧得我無法對付：
麻雀兒又在那小枝上唧唧嚓嚓

笑得我紅漲了臉皮。
　愛人喲！
不知道是你使我不得不念，
也不知道是我要念你。
盪漾着微笑的腦額，
輕輕跳過門限的兩足，
一次模倣，
一陣思念，
一陣思念，
一次模倣，
只落得孤孤零零
無限無聊。

一念
給她寫在信裏。
擡頭看時，
麻雀飛去了，
風起了，
桂花只是一株樹，
黃沙乾涸在筆尖上。

(二)

小鳥兒嘻嘻地報上她的音信，說：
她正在疲倦中間，
剛用大力改變了世界，。
並問：

有多少眼泪化作清汽潮到山上，
多少混着紅血的眼淚流到海裏?

(三)

希望很奮勇而且謹愼地提着他的衣襟。
一步一級，
一直走上最高度。
但當眞實叩我首門那一晚上，
寒風吹開了無限的幻幕，
他，一塊石頭一般的東西，
馬上經過我的鼻端
深深地沈入淵的最深處了。

(四)

當太陽未曾出來
愛神剛散佈了她的溫潤時候，
花園裏起了一陣無味的爭嘲：
牽牛把一朶喇叭似的鮮花
放在向日葵的頭上，
玉針兒把腿伸到鳳仙的乳房裏。

(五)

小孩子們怕忘却了他們經過的地方，
把白玫瑰花圈
挂在等遠的小樹枝上。
風起了，
花圈兒隨風飄搖；
恐怖彌佈在林間，
小風吹開了他們的家鄉。

(六)

愛人喲！
你的溫柔到底多麼少！
在好遠的地方
就把我重重地包圍起來了。
我要長出兩隻羽翼
在我臂肘下邊，
我要飛，盡力的飛，
一直飛到你那溫柔之上！
在那地方我還不停止，

我一直飛到不可知的地方，
穿入冷枯而悲慘的空氣裏。
　我要長出兩隻小蛙的足，
發展我的游泳術，
把頭朝着水裏，
兩足盡力地蹬，
一直穿過你那溫柔的底！
愛人！
你以為我像小泥鰍那樣愚笨，
就安臥在那裏麼？
我要穿過十八層厚土，
跑到那地心！

　愛人，
不要笑，
你也不要怕，
我立刻就要逃出你這溫柔的故鄉了！

（七）

　在黑暗的小房子裏，
伊呼吸一息一息地短促，
恐怖漸漸張開了他的兩翼：
　當我用心靈破碎的聲音，
呼號伊的名字時，
那可憐無知的小孩子，
他那帶着乳味的小心靈哇的一聲也碎裂了。

（八）

我愛！

你能不能再看我們一回？

我愛！

你果眞要死去麼？——

你眞要離開可憐的我們麼？

我，我並不覺得那是痛苦！

那實在是我們最後之安慰，張開着溫柔懷抱

的慈母！

但是我愛，

你教我怎麼着？……

就如此結局麼？……

有些田地還要耕種，

滿載着種子的秋禾……

一切事情還在那裏等着呢！

我愛喲！

你教我怎忍得，如此，

如此別離！

（九）

我們都提了鋤，

各脫了鞋子；

且耕我們的土壤，

且盪漾着我們的興趣。

微風吹來，

樹梢兒慢慢地搖擺，
日光更覺可愛了。
　呵，朋友！
我們用不着休息了！
我們用不着再求快樂了！
呵，我們的朋友！
　我們的田邊，
我們的樹林，
展開了伊們的懷抱，
笑嘻嘻的把我們包圍起來了。
　我們用不着再歌唱了！
最親密最講友誼的小鳥兒，

彈着我們的心絃；
最表同情的山谷，
湧現着我們的情泉；
停停跳跳，
在我們心底小平臺上
奏出了最愜心最興奮的音樂。
　我們用不着再跳舞了！
在溫柔而且仁愛的土壤上，
一鋤，一提脚，
一揚，一折腰，
呵！我們的美麗靈妙！
　呵，朋友！

我們的舞曲興奮起來了。
我們的脚輕跳起來了。
土壤兒彈抖着助勢，
綠葉兒襯出我們的光亮了。
呵，我們的朋友！
呵，我們的朋友！

（十）

謝不絕的現在
脚跟脚的踏到我的額上，
忙得我心慌意亂了。
我，不要說。
他送給我的禮物，
也頂好不要想起！
把小蛙兒放在火鍊上，
要是他不叫喊，
那末我就歡迎現在了。

（十一）

我確是跪在火鍊上的小蛙，
我却索性不叫！
呵，火鍊！
我親近你，
你是慈母的懷抱。

（十二）

雞冠花呵，

你現在怎樣?
你的面頰成黑灰的了!
鳳仙花呵，
你現在怎樣?
你的身軀枯焦了!
這是時代待我們的厚意，
何必問秋是什麼意志。

(十三)

微笑是什麼東西?
不知那裏來了一種緊漲，
緊漲緊漲……
止不住地緊漲在唇邊眉際；
在悲哀的湖上，
蕩漾起玄妙的波浪。
微笑呵!我實在爲你害羞了……

(十四)

來，朋友!
讓我們接個吻!
我們的心想是要緊的；
不要問我們的現在是怎樣，
不要管這是什麼地步和時候，
在過去和將來裏，
把我們所喜歡的東西都拉出來!
來!來!

不要嫌我身上的泥疤，
把你的兩臂
緊緊地抱在我的脊背上！
來！來！
你的胡鬚不要緊，
讓他們也在那裏，不要動！
快，快點把你的舌頭伸出來！
哼……
哼……

（十五）

假若你想起我，並且問：
現在誰在那裏安慰你？

我將毫不猶豫，並且直率地說：
就是滿帶着沙塵的黃風了！
每次黃風起來的時候，
我就要跑，像赴戀愛之會一般的跑，
跑到有幾株小柳樹的沙灘裏在那裏，
我就像吻母親嘴脣的小孩子一般，支着腳立
在那裏，
那，那就有輕而且溫，少微澀滯的嘴脣吻着我
嘴上；
我就嘗着異味的甜蜜了，
這蜜並不在我自己嘴裏，
是在黃沙裏送過來的！——

因爲每一次黃風刮的都是那一回的黃沙!——
你我第一次在荒野接吻,從柳葉裏灑過來的
　黃沙!

沒什麼

　小朋友們呀!
這是我一個人的不是,
我對你們失了友誼;
是極不道德的。
小寶貝們!

你不要恐怖,
也不要哭泣!
來來來,我的孩子,
讓我給你們拭一拭眼淚!
　這是——
但並不是我一個人可以作主的——
這是時代在我身上的印記,
潔白宇宙的汚點。
小寶貝們呵!
你們記着,並且請你們相信,
今後我們只講那山谷是怎樣的幽靜,
花是怎麼的芳香,

野味是怎麽的濃厚，
我們走過那祕密的竹園那邊，
沒人走到過的地方，
怎麽的特別的景致，特異的味道；
我再不，
我再不講我們大人的經過——悽慘恐怖的
　事情了！
讓他們掙扎在我那心底裏，
許久許久
也許會變成肥料，
把我們所希望而幻想的鮮花，
大大的開放出來！

小寶貝，來來！
讓我給你們拭一拭眼淚！

農村的歌

　我的輪兒澀滯，
我的牛兒瘦倒，
連天連夜的送兵策，
饑寒說奈何？
　綿羊兒正在孕育，
藏在樹林裏，

又被支辦局找着；
羊肉送進了衙門，
羊皮羊毛便賣了，
還敵不上宰稅多！
　黃風又刮起來了！
這不是種麥時候？
眼看着海綿一般的土壤，
變作石頭一般強硬。
　糧食誰甘便賣？
家中沒有一粒米，
鍋中水沸着！
　寒風刺刺的逼人，
冬天的霜
已經彌佈在晨間了。
單衣不主貴，
不襤也透風！

跟隨者

　煩惱是一條長蛇。
我走路時看見他的尾巴，
割草時看見了他紅色黑斑的腰部，
當我睡覺時看見他的頭了。

煩惱又是紅線一般無數小蛇，
麻一般的普遍在田野莊村間。
開眼是他，
閉眼也是他了。
呵！他什麼東西都不是！
他只是恩惠我的跟隨者，
他很盡職，
一刻不離的跟着我。

淚膜

當我心酸——酸到沈默的神祕裏的時
候，
肉體也不顫抖了，
頭也不痛了，
眼淚冰凍在睛珠上；
我最傷心的世界也立時退入渺渺茫茫的帘
幕裏，
一點兒也不來攪擾我了。
這並不是那個小屋子——
侵掠者的餘物，
得寸進寸的處所；
檐前花兒濃放了出來，

光明燦爛的窗下
書案放處，
平安氣象滿罩在那裏了。
　噫……
呀……
什麼聲音，慢慢地來到我的耳邊？
卻不是快死憐人，
輾轉着無聊的哭聲；
是年老的勝利者，
在那裏唱起快活曲了。
　啼，啼，來了，
不是提着手鎗的
鄉下專制小魔王；
卻是博愛的巡視者，
送花園的安琪兒了。
　啊！
這並不是記憶世界的衝突，
原來眞實世界早已這樣了。

在黑暗裏

　黑暗的處所——
探險家所未發覺，

宇宙的光，甚至螢蟲所忘却。
在那裏
同一位醜鬼躲在墓的深處一樣，
我並不呻吟和歌唱，
我嫺嫺的安臥在那裏
一連好久好久不露我的面孔。
但是我不斷想着並且希望，
螢蟲變作太陽那一早晨，
我也要試一試
走近光的範圍了。

能夠到天堂的一件事

就在這個地方
古來有一個偉大權力的人，
要佔有了土地及一切；
凡些敢怒敢言
挺着反抗的胸膛的人，
一個個都被囚在黑獄裏邊了。
他有了鐵鋼一般的權力，
強健而忠勇的衛兵；
他的兒子
也照手續學好了。

天使帶着上帝的意旨，
張着善惡循環的傘，
吹着升天堂的招號；
他——國王——籠罩在死的黑幕裏，
他心神顫抖着
苦苦的向天使哀告了：

國王——
可愛的天使，
把我帶上天堂吧！
天使——
你是什麼人？
應該類那一種善人呢？

國王——
我是這地方最有錢最有力量的人！
我是一個國王！
天使——
上帝早有規程，
有權力的人是不能夠升到天堂哩。
國王——
那末
可愛的天使！
一個人怎樣才能够逃出死的可怕，
能夠升到天堂呢？
天使——

只有悲哀……
　　天使一點也不肯留情，
張着傘，吹着號，
一閃一爍的走去了；
國王怔怔的失望在地上。
於是他走徧了世界，
要找「悲哀」這件能夠升到天堂的東西去了：
國王——
喂！一羣放羊的小孩子！
你們可見過悲哀麼？
那是什麼一件東西？
小孩子——
不知道。
你失掉了麼？
那是什麼樣子呢？
國王——
大概是個很尊貴
而且很好看的東西。
小孩子甲——
那老婆婆們請來的菩薩奶奶吧！
她帶着一頭香花
穿着一身很華美的衣裳。
小孩子乙——
不！不！

我們怕那東西！
她傳給老婆婆說：
過年要教小孩子死完呢！
國王——
小賊！小賊！
你們大聰明，
你們活過月了！
　國王——
鋤地的人們！
你們可見過悲哀？
那是什麼一件東西？
農夫——

不錯，是有的。
在秋後納稅時候，
春天吃得肚餓的時候，
他就密密罩在我們的頭上了；
要是，
你要作什麼呢？
國王——
混帳！
　國王——
你們天天躺在路上的東西——乞丐，
你們可見過悲哀不？
那是怎麼一件東西？

乞丐——
呵！那麼！
就在夜裏！
就在夜裏！
他屈折了我的腿，
他竄在我的心裏了！
國王——
混帳！
不死的東西！
　國王——
你們年年躺在牀上的老年人——快死的人
們！

你們可見過悲哀不？
那是怎麼一件東西？
老年人——
唉！
我眞認識他了！
在夏天他好像蠅子，
他一定落在我們的鼻尖上，
一揮；他便又來了。
在秋天他好像乾枯而高飛的草葉，
我們逃不出？
我們一身都是他了！
國王——

老賊!
老賊!
　　國王——
你犯死罪的人們!
你們可見過悲哀不?
那……
囚犯——
就在這裏了!
就在這裏了!
　　國王正在悵望,
天使已經一個一個
把他們帶上天堂去了。

　　國王正怕着跑出來,
國裏所有
小孩,
老人,
農夫,
乞丐,
一個一個都跑上天堂了。
　　只留國王一個人在地上,
從此,
他的地也不會長禾苗,
打糧食,
他所有一切……

權力，
都沒有了。

小詩

(一)

在什麼時候你才開心，並且渾身發抖呢？
在開拆寫着我的名字的郵件的時候了。
在什麼時候你才煩悶，並且心酸至淌水呢？
剛從夢中醒來，在接觸現在的第一步了。
什麼時候你才心平氣和忘掉一切呢？

在夢中。
什麼時候你才得生活的執着而且驕傲呢？
在夢中。
不用多問了！
在夢中得到我的一切；我的一切都在夢中了。

(二)

「小河，你天天在這樹林裏做什麼？」
「我不止的流」他說着，微笑滾流在他的嘴脣上。
「你將到什麼地方去，我親愛的小河？」
「我將到海裏去，
「在那裏有我的母親和姊姊，

「我要看他們去了。」他說着，並且微笑着流去。

(三)

小禿剛！你能禁止住，你能不教我們的牙叮叮的響麼？

能，只要有個財主肯捨給我口熱湯，我立刻就有力量去馴服他們；把他們頭對頭，緊緊的扣在一塊兒，停止了他們的叫喊！

小禿剛！你能暖熱這，這有些氣味的牆基麼？

能，只要有人肯給我一小捆麥稈，讓我在這牆角給暖——暖熱了麥稈並我自己；就是，在這時候，就是你把所有的麥稈都奪去，只用我的一個胸膛就可以暖熱了這個又方又大的門基！

(四)

誰知道住在那房裏，新結婚那房裏是：

：是怎麼樣？

我知道在那裏，雖說是冰雪連天的天氣，也用不着再生火了！

也用不着再吃麪包了！

不，在那裏邊的人們——只要從裏邊過過一次，就有了神異的能力！

——可以說他們的鐮刀，不用人管，自己就會在田間割豆子了。

(五)

我要——屢次的
向着天上所有掌着黃風和黃沙的權柄的神
人禱告：
不欺騙愚笨人的神人，
我……
不斷地刮起黃風吧！
不斷地送來黃沙吧！
我誠心誠意地懇求你們，
仁愛的神人，
多刮起一陣黃風吧！
只要有一陣黃風帶着黃沙照我臉上灑來，
神人！
我的一切都滿足了！

路上

從地獄到鬼門關那條路上，
塵埃翻天似的盪着，
太陽是黑灰的。
鎮天鎮夜的往下走，
我們不論什麼，
茶亭宿棧，
且談且笑，

索性鼓舞着我們的勇氣。
　我們的同行者：
醉漢，娼妓，
大衙門裏的老官僚，
賭棍，煙鬼，土匪……
有的是露宿在大街上的女乞丐，
背着伊們未成形的孩子；
有的是南北奔波的政客，
軟骨媚態上儼然套着時髦的衣履；
有的是四十年來落魄的老教師，
在講臺上混生活的；
背跟着一羣小學生，

一個個都帶着頑滑尖薄的臉皮。
　娼妓——至少也賞一個錢！
賭棍（焦削的冷笑）——那算什麼？一夜贏了
　兩千元，連明都又滾下去！
土匪——混帳東西，滾（扳開鎗機）你的命還
　在我的手裏！
　醉漢脫下他那雙破鞋，
止不住一下一下地擲；
擂倒了煙鬼，
一陣掙扎，
鬧得塵埃更濃。
　學生在路旁汚泥溝裏

一把一把地亂摸

教師(厲色)——混帳東西，不准動！

學生(有些擡起頭來)——先生，什麼時候才

給我們畢業呢？

　我們不知道什麼是風塵，泥濘，

沸點近旁的熱，和零度以下的冷？

滿腔子醬醋裏浸漬著的

原不是什麼可寶貴的生命！

　只要戰勝在爭先恐後的掙扎中，

先下了沸油鍋，

或是先掛上狼牙樹的上峯，

先放出我的血，

逞狂逞狂我們的興！

瘋人的濃笑

我有一匹頭，

他雖說止不住的痛，

困睡在麻木裏，

他却美麗極了！

無窮無盡的美術畫片

安在一架無軸的旋動機上。

有些是赤體小孩子的故事，

他笑嘻嘻的
立在懸崖滿布着綠苔的怪石上。
　我有一枝筆，
他的頭不像那樣尖銳了，
他却能寫出極美妙的詩句。
　還有神經過敏的兩隻足，
他能踏過極美麗的荒野，
輕輕地吻着草葉，
感到自然的厚意。
　我有一條板櫈，
他守時刻而且盡職分；
常常裝作良馬一般

等待着立在那裏。
可是沒有來過貴客呵！
有時一匹癩肚子蝦蟆嘓嘓地端坐在那裏。
　還有兩個耳朵，
那裏住着無數的音樂家，
時時刻刻奏着靈妙的音樂。
　我有一個妻子，
她，我不敢罵她！
她害着病，
在那黑暗的小屋子裏，
爬來蹉去……
　來了！

來了！
不是送禮物的郵使，
却是七八年前的債主。
我不覺得怕他，
但暗地藏在門背後。
　來了！
來了！
我不知道他是什麼人，
地說他是管我一切的人；
我不講衛生，
還犯了大家規則。
　呵！

我是一個再快樂不過的人喲！
我自家的鼻涕，
流在我自家嘴裏。
　我不是告訴她說：
我最可憐的妻，
你不要詛咒我，
你也不要悲泣！
我將你帶到美麗的花園裏，
那裏有美味的食品，
潔白的裙衣，
　呵！
我心裏實在這樣想着……

我是再快樂不過的人喲!
只要我心裏不酸,
肚子裏不叫……
我就坐在這一塊石頭上,
那就不用說了!
　他們說的都是廢話。
大水麼?
發火了麼?
兵麼?
土匪麼?
我爲什麼要怕他!
他會怎樣我?

我並沒有什麼可寶貴的東西,
只有一匹頭,不用說,他天天疼着。
　呵!
我是再快樂不過的人喲!
我什麼都不怕……
美麗的畫片轉過來了,
靈妙的音樂奏起來了,
喲……喲……
我……

生命

當惡魔重重圍住我
把我的氣和血全行抽出的時候，
親近我的人都說我已經死了。
但我記得，
醫生用針刺入我的心房時候，
我的靈魂是平安的；
在另一個地方，
得到極濃厚極甜蜜的安慰。

秋晚

我何恨於秋風呢？
年年都是這樣，
他是自然之氣；
可憐我落伍的小鳥，
零丁，
寂寞。
懶澀澀的這枝緣到那枝，
沒心的飛出林去。
最傷心晚間歸來，
似夢非夢的，
索性忘却了我是零丁，寂寞。
秋風呵！

雪朝　第四集　九十二

你雖說是咯咯地響個不住，
藉紅葉兒宣布你的肅殺和淒涼，
但是我有什麼懷恨於你？

黑色斑點

黑色斑點這種一般的東西，
一次一次的增加起來，
漸漸佔據了光明潔白的心靈的全部；
從此以後，
心靈永遠永遠再不能光明了。

黑色的斑點呵！
你們有多麼大的意義與價值；
一切主義，
一切行為，
一切志願和興趣，
都被你們改變了色彩了！
黑色的斑點呵！
你們有多麼大的權力和威武；
無論在什麼時候——
哭泣或微笑，
你們只用少動一動尾巴，
就敎我心酸，發抖！

黑色的斑點呵！
你們有多麼深的秘密——
長遠而且崎嶇的道路和蘊蓄；
常教我忘却一切現在，
一直地尋求，
不止地尋求；
竟死在路上，
永遠尋求不到你們的底！
黑色的斑點呵！
你們是時代的幼主，
你們將隨着時代長大起來；
你們的權力不止擴大和充實，
將全佔據了這個宇宙了！
黑色的斑點呵！
我是你的奴隸；
忠實而又忠實，
唯一的奴隸了！

教師

教師立在講臺，
小學生都很新奇地看他了。
先生你哭了麽？

為什麼你眼裏淚那麼多呢?
先生有些話不好對他們說,
只擺一擺他那蓬蓬短髮的頭;
並且說:
我們今天要唱歌了!
　先生,
這不是那樣的歌兒呀!
有些地方要作手勢,
有些地方還得笑呢;
先生,你老想哭麼?
先生先生,
你怎麼着哩?

喂!先生
　教師心神發抖了,
教師臉愈發白了,
教師隨便怎麼都不能維持了,
少不得走下講臺;
並且說:
你們也同去能!

人生之祕密

死神是什麼味道?

誰知道！
因爲她將走近我，並且
我覺得她快要到我身邊的時候，
我早已不嗅了。
　她有仙鶴一般
美麗而且潔白的兩翼麼？
我們只覺得她的沈靜，
一般輕鬆而且熱濁的空氣壓着；
並未看見她的美麗，
聽得她的飛聲。
　小孩子還在那裏。
他的身體依然全備：
可是他只是沈靜靜地睡在那裏，
再不提着兩條小腿在草地上跑了。
櫻桃一般而蕩漾着微笑的小面頰
變成蠟紙一般白；
可愛的明珠一般的眼睛，
也再不流動和睜開了。

謎

　剛才是夢，
現在是夢呢？

在那裏我是一個小鳥;
溫柔的山石,
濃香的樹林,
圍繞着我;
我正要且飛且鳴了。
　現在是夢,
剛才是夢呢?
我是一個孤獨的墮廢者;
北風如刺,
冰雪蓋地,
沒有黑夜和白晝。
我不止地蜷縮我的四肢和軀體,

我將蜷縮蜷縮至於沒有—
我將變作這寂寞而寂寞中的一點了。

歌者

——一個赤着脊背而披散着短髮的中年農夫,立在崑崙山中峯的一塊怪石上,抗着他那強壯的胸膛,痛快淋漓地唱着,以他那壯大的拳頭作無聊的手勢。

我們的兄弟,

都中了魔術；
我們的田間，
叢生了荊棘。
你看那——
茫茫的荒野，
蒼蒼的樹林，
狼子，狐兒，
都自由在那裏了。
　我們的田間，
叢生了荊棘；
我們的兄弟，
都中了魔術。

你看那——
那一個小孩子不抱肚哭餓，
那一個母親不輾轉號泣。
　我們的兄弟，
都中了魔術；
我們的田間，
叢生了荊棘。
你看那——
如林的洋槍，
光芒的刺刀，
那一回不是殺我們的兄弟，
那一回不是我們兄弟自殺的。

你看那——
山陵似的白骨，
河流似的紅血，
那一件不是先祖的愛兒，
那一滴不是我們祖先的血統。
　我們的兄弟，
都中了魔術；
我們的兄弟，
都中了魔術。
你看那——
南的南，
北的北，

他們索性的奮勇，
拚命的掙扎，
那一個不縮短了他的壽命，
那一個不侮辱了他的生靈。
　我們的兄弟，
都中了魔術；
我們的兄弟，
都中了魔術。
世界上滿滿都是瘡疸，
宇宙也變成黑灰色了！
　——他的聲音很壯很大地唱着，滿
宇宙都起了神秘而悽慘的疏

密；全世界都在搖撼着。

二一年十二月六日記

雜詩

(一)

現在是一件給生命穿的衣裳，
可以穿上看一看，
也可以脫下來的；
那末，現在！
我不怕北風和霜雪，
我亦着全身，
一定要撕下你的裏。

(二)

這是我可以躲避一切的地方；
在這裏——
小太陽要征服的黑幕，
雲霧罩處，
古墳上的青草已經乾枯了——
沒有一點不適宜的感覺。
這就是嘗過現代滋味者之處所，
我將終於此了！

(三)

我不相信一個人就是這樣活着，
但是我的煩惱，疲倦……
纏纏綿綿摧迫我，
使我不願問這是「爲什麼」了。

（四）

我再三提起筆來，
想把我的苦處告訴給你們；
因爲這是一個生活的結果，
倦於生活者的宣言；
但是一陣麻煩發生在我心裏，
困倦在手上，
不知爲什麼

我又覺得不必了。
也許人就是這樣的活着：
把生活建設在傷心，麻煩……的幻幕上。
但是我的信念不能像以前那樣堅固，
亂麻一般的灰心，
一張薄紙似的疲倦，
現在的持續也一刻一刻的消滅了。

（五）

我也再三念起我們青年的祝誓：
堅忍，
奮鬬，
進取。

但是無可如何——堅忍只在能够堅忍時，
已經敗滅的火，
永遠永遠不能再然燒起來了。

（六）

我應該說一句，
這是人類的弱點麼？
決不能痛快的死！
呼吸一息一息的細微，
血管的震動也一息一息的沈默了；
這是人類的弱點！
這是人類的恥辱！

（七）

當我意志一刻一刻的委靡
呼吸一息一息的低微的時候，
我很平安很甘心；
我將靜待沈入死神的羅幔裏了。
但當一個生活問題來我牀邊時，
我的感覺又從新恢復起來：
傷心傷心過去，
又悵惘悵惘將來。

（八）

煩惱的面孔並不猙惡：
他好比蘆葦叢生的一個大湖，
我們沈在裏邊的時候，

微微聽得自己的聲音——
一倒一顛的聲音；
並且在那時候——
將沈沒到底的時候，
嗅得汚泥的香氣了。

（九）

愛人喲！
你原諒我麼？
愛情，我是絕對的沒有了。
愛情是人生的光彩，
同樹枝上含苞欲放的鮮花一樣；
我呢，在陰地的牆角早已乾枯了。

愛人，你還愛我麼？
這裏只有一個我！
沈默着的我！
還是人類裏邊的一員！

（十）

當太陽怪可憐的滾過山去的時候，
小鳥兒都悄悄地飛進林去，
蝦蟆也一個一個竄進湖底了；
獨我一個無所歸！
或者有所待麼？
不錯，我靜等螢光一般的小星，
念我是一件東西，

照一照我；
並且，也許有食慾正旺的狼子，
在這寂寞的籠罩裏，
光臨我，和我密語。

（十一）

在這滔滔不息向下流的波浪裏，
我也是一個小浪；
並且還立在浪峯，
我的動靜，
我漸漸不能作主了
大浪們呵！
我們要到什麼地方去？
什麼地方是我們要到的底？
大浪一刻不停的流去了。
小浪們呵！
我們怎樣保持我們一閃的生命，
作爲彼此的相照？
小浪一看也不看的翻下去了。

（十二）

幸福的時光是一閃的過去了；
悲哀的時光也是一閃的過去了。
悲哀似乎少留戀一點？
不！
悲哀也不過在我們的心靈上

留下了永遠不可磨滅的印記罷了。

(十三)

花呵！
你們好看而芳香的東西，
你爲什麼開？
——花不爲什麼的開着。
蒼蠅呵！
你們骯髒的東西，
你爲什麼飛？
——蒼蠅不爲什麼的飛着。
我爲什麼活着，
能夠運動的一件東西？

我能夠解答這個問題麼？
——不知道爲什麼，
也不爲什麼，
我將安臥，
並且死在這「爲什麼」裏邊了。

第五集

郭紹虞作

第五集目錄

期待

扶梯上一步步聽熟了的脚聲
好似有甜蜜的愛波一步步的震動我心情；
但是今天却期待久了。

墜落

一片墜落的紅葉

在山道的溝裏，隨着流水緩緩地流過去了。

淘汰

秋風颯颯至了，
滿林的黃葉辭別了故枝。
這是何等嚴密的淘汰呵！

倦怠

忍耐，
退縮，
遷就……
這是我人醒後的倦怠了。

咒詛

咒詛的詩，
咒詛的歌，——
咒詛的文學——
怎能寫得盡該咒詛的人生呢？

會後

椅子縱橫地散着，
地板上留一些唾沫，
這是開過會後的成績了。
一個演說會開過以後，
大家談論
這個演說員的丰姿怎樣。

心意

行的，
坐的，
談論的，
靜默的，
乃至長的，短的，村的，俏的，
都是一個個藏着假面具的Satan呀！

休息

箬帽掛在稻草的擔上，
權且在樹陰底下歇一回了。

溫存

滿臉的縐紋遮不了滿肚的假意，
滿肚的假意却吐滿意的話意——
而且是溫存的話意。
我感謝那很複雜的縐紋之表意。

上帝

我的安慰在你的信裏；
你的，在我的信裏。
上帝不過給人個安慰罷了，
你我便都是上帝。

送信者

這是多大的使命呀！
人們的安慰在你的身上——脚底。

靜默

唧唧不絕的蟲聲，
時起時歇的雜聲，
匀稱而遠近的脚步聲，
一跳一跳的心絃顫動聲——
但這是何等的靜默呵！

心的象徵

賣糖粥的搖鼓兒，

惟其反復，
是以擾攘。

哭後

眼淚滲的乾了，
筋肉的緊張
猶殘留着怒容。
可憐弱者的表示喲！

希望

晨光明了！
濃霧的海
猶沈浸着垂滅的燈光。——
希望之神
來安慰慘澹而又奮鬭
的人生了。

健躍

羅紋似的水波
流動而且活躍——
莫非是吾人健全的細胞之象徵吧!

第六集

葉紹鈞作

第六集目錄

——二〇，九，二六。

悲語

一個朋友的妻死了，
他斂抑着悲痛
對我說：
『現在換衣服常常要找尋了！』
　我的親戚
死了個六歲的孩子，
來信說：
『完了，只賸他的像片了！』

夜

你將世界包裹！
雖然有煤鐙電火，
但一切都生了陰影，
顯見你是幽晦的，嚴密的，
最高威權的包裹！
　在你的王國裏，
恆河沙數弱小的心

各各在那裏跳動：
茫昧的恐懼，
生命的厭惡，
失望的歎息，
如願的滿足，
別離的號泣，
狂歡的摟抱，
惡意的陷害，
標榜的讚揚，
沈湎的痛飲，
密戀的歌唱，
一一是跳動的符號。

衝決了你的包裹！
毀滅了你的王國！
光明的曙色和世界接吻，
弱小的心才『得救』呵！

——二〇，一〇，一二。

兒和影子

兒見學生體操，
歸來教他的影子。
他兩臂屈伸，上舉，垂下，

更迭不已。
『一,二,三,四,
五,六,七,八,
九,十,十一,十二,
十三,十四,
十六,十二,……
你可懂了?
你可懂了?』
　　影子真蠟嘴,
再也不回答,
只兩臂屈,伸,上舉,垂下,
跟着他更迭不已。

　　兒總不厭煩,
不灰心;
更一遍一遍地教,
一遍一遍地問。

——二〇,一一,七。

感覺

　　一個牙齒壞了作痛,
使你周身都感不安。
一條腿沒有伸舒服,

使你不能穩穩地眠。
可憐墮落的靈魂！

——二〇，一一，七。

拜菩薩

兒學拜菩薩，
拉耶上坐作菩薩。
他自己作種種姿勢：
點了燭，
插了香，
合十深深膜拜。
菩薩拜過了，
他站起來，
拔去了香，
吹滅了燭，
更奮舉小掌說，
「推倒你這菩薩！」

——二〇，一一，九。

鎖閉的生活

亂草裏開着薔薇，
伊有不遇的幽怨。
紅襟鳥在空際歌唱，
也許是讚美伊的姿色；
但伊認爲輕薄的嘲笑，
猜疑的心使伊漲紅了臉。
小孩子嘻笑着賽跑，
無心地，衣角在伊旁邊拂過；
但伊認爲故意的侮辱，
憤怒的心便充滿伊每一個刺。
『你有這般好顏色，好姿態，
誰不許你做個芳春之女王』？
伊不回答，只將無限的幽怨自嘯。
不多時，就寂寂地謝了，萎了。

——二〇，一一，一七。

小虎刺

我若是一株小虎刺，
被着油綠的新衣，
靜默地立在
牆陰下紅泥盆裏，
當也有難說的趣味。

——二，八，一〇。

藕豆

偶然種了幾粒藕豆，
便覺頗繫我思。
三支的綠藤披了半牆，
嫩枝兒齊欲爬上簷去；
渠因若時總可喜。

——二，八，一〇。

小魚

小魚的嘴浮出河面
不住地開合，
一個個波圈越來越大。
釣竿舉了，
小魚去了，
但正在擴散的圈兒
也許波及無窮的遠。

——二，八，三一。

江濱

晚來散步江濱，
一天的雲彩
不是圖畫所能描的。
暝色下了，
雲彩沒了，
但鮮明愉快的情趣
已印入我心的深處。

——二一，八，三一。

兩個孩子

航船沒有來，
渡船也不到，
對着河水惆悵——
我如飄泊在孤島之上。
一個孩子對我說：
『我代你拿了東西
涉水而過罷；
或者租了一條小船
送你回去罷；
總有法子，

你且站一會」。
我聽着就覺得
我不孤寂，
我有人間一切的驕傲。
　一個鮮紅耀眼的蘋果
在我的手裏，
船家的幼孩斜睨着，
也許他的舌根
正起甘甜的感覺。
我取一個同樣的給他，
他堅定靜默地接了，
就捧着往嘴裏咬。
我看着覺得有
不可名的歡喜。

——二一，九，七。

損害

幾個學生
笑着說
跳着走
遠遠地來，
看見我們在

一行冬青樹下的
涼椅上坐着，
笑聲滅了，
步調齊了，
一會兒
他們去得遠了。
忽然起異樣的感覺
非常難受：
不思不慮
不言不動，
但是給人以損害了！

——二一，九，八。

路

一條長路
細屑灰污的沙鋪着。
摩托車過時
印出兩條直長的
陰紋的圖案，
行人過時
又印成許多同樣的
簡單的履跡。

一陣風起，
車痕履跡都模糊了。

——二，九，二五。

不眠

沈沈的黑夜，
我希望睡眠立刻
輕輕地，穩穩地，覆蓋我，
因爲這是接着醒之晨了。

一九二三，二，一。

黑夜

便是太陽光，也自有他
燭照所及的極限吧？
惟有黑暗是廣大而無邊。
我竭力睜開了眼睛，
但是，看見些什麼呢？

一九二三，二，一。

第七集

劉延陵作

第七集目錄

河邊

河邊上來了一個婦人，
攙着一個六七歲的孩子。
孩子拿着一大把菊花，
新鮮的顏色
和蘋果般的小臉掩映着。
孩子慢慢地唱道：
『今天是佳節呀，姑姑，
你却睡在醫院的窗下。
我同娘特來看你。
說得盡的安慰
我們都說過了。
說不盡的安慰我們都放在菊花底心裏了。
菊花呀，
我們去後，
你把我們付託於你們的安慰
和着你們的香氣
一縷縷吐出來給與我的姑姑呀。』
骨牌式的渡船
把他倆渡到河中間了。
她坐在船中央的板上，

孩子捧着一大把菊花立着。
花底新鮮的顏色
和蘋果般的小臉掩映著。
「寶兒，歌呢？」
於是孩子又慢慢地歌道：
「今天是佳節呀，姑姑，
你却睡在醫院底廊下。
從河底那邊，
我同娘特地坐船來看你。
說得盡的安慰
我們都說過了。
說不盡的安慰我們都放在菊花底心裏了。
菊花呀，
我們去後，
你把我們付託於你們的安慰
和着你們的香氣
一縷縷吐出來陪伴我的姑姑呀。

悲哀

悲哀在河面上蕩漾。
不然，何以伏在水上淘米的那個婦人
忽然滴下淚來的呢？

悲哀在紅葉裏窺人。
不然，何以我東家樓窗裏的姐姐
看見了路那邊的一樹紅葉
就嘆了口氣
轉過面去的呢？
不好了！
悲哀又在我筆中震動。
不然，何以一縷酸意
從我指頭底尖上
循着臂膊
一直顫到我的心的呢？
上帝呀！

用你的手，悲哀底磁石，攝去人間一切的悲哀
罷。
攝去河水裏的悲哀，
教他只可琤琤琮琮地唱罷。
攝去紅葉裏的悲哀，
只許他得意揚揚地飄，翻翻翻翻地飛罷。
攝去我筆裏的悲哀，
教他只能人間底歡愉罷。

新月

彎彎的新月
筆直地航出雲中。
好一隻黃金的游艇呀！
我的愛人倚着欄，
說，『如果我能夠爬得上去呢，
我就乘着他周繞地球一轉，
把詩人底愛與和平之歌
一片片散到人間。』
彎彎的新月
筆直地航出雲中。
好一隻黃金的游艇呀！
我立在田裏默禱着，

說，『月呀，月呀，
如果她能夠爬得上來呀……
也許她能夠爬得上來罷？』
忽然間，
從綠葉間的空隙之中，
我看見前面的一排樹外，
有一個黃金瓣兒
一翻一翻一閃一閃地落下來了。
我抬頭望望，
天上的繁星像失去他們的君了。
我登到高處望望，
樹外銀帶一般的河上

正息着一隻彎彎的黃金游艇呢。
彎彎的新月
筆直地航出雲中。
好一隻黃金的游艇呀！
她着的嫦娥底衣服
坐在船上。
我拿着望遠鏡兒
伏在舷上。
紅的，綠的，紫的，白的，
青的，藍的，黃的，赤的，
一片片一幅幅的愛與和平之歌
蝴蝶般，秋葉般地落到人間了。

姊弟之歌

姊姊，
每天媽媽領我們在園中頑耍的時候，
我們姊姊妹妹，
弟弟哥哥，
唱的唱，
歌的歌，
這時候爲什麼爹爹總不回來呀？
等到他半夜裏敲門回來，

媽媽和我們大家
又都在牀上睡着了。
但是每天媽媽領我們在園中頑耍的時候，
爲什麼爹爹總不回來呀？
唉，你爲什麼不抬頭看看天上呢？
每天夜裏，
月亮領了一天的星兒出來的時候，
金黃的太陽到那裏去了？
等到他一步一步從東方出來，
天上亮晶晶的媽媽
和她的那些寶寶
不是又到了什麼羅帳似的白雲邊睡着了麼？

唉，你爲什麼不抬頭看看天上呢？

秋風

秋風回到了江南，
江南的黃葉就一陣落下來了。
落下來還飛起來，
又是一陣秋風
把他們打下來了。
打下來的黃葉
在地上吱吱地響：

『不要緊，
我們明年再來就是了。』

新年

天寒日暮，
西風颼颼，
舊年拖着灰色的衣裳，
向荒涼的林中退走。
紫衣的，華美的，新年
無情地追趕不休。

舊年回頭說，
滿面恨愁：
『兄弟，你做什麼？
世界已是你的了，
你還要怎麼？
你莫逼人太過，
難道明年今日的你
不是今年今日的我？』
『走走！』
我不對你說什麼。
且慢說今年今日的你
預先畫出明年今日的我。

去年今日的你
也就是今年今日的我。
明年聽人趕我，
今年你且先走。
「自然底安排
本是這麼。
快走，快走，
讓路給我，
讓路給後面的一個個兄弟走」

落葉

落葉，你們紛紛地墜了，
你家舊日的繁華像錦繡碎了，
你家可愛的，紅的，白的，人兒久已在土裏無聲
　睡了。
你們就紛紛地墜了。
往日的事你們想得要死了。
你們把臉皮兒想得黃於黃紙了。
就索性一切不管
飄到大空氣海裏死了。
落葉，你們紛紛地墜了。
我的心也包在你們心裏，
和你們的心一齊碎了，

和你們一齊墜了。

夕陽與薔薇

1

橙紅的落日
已經要跑到樹梢之下，
他還把半個臉兒露在樹底頂上，
看住一朵大而白的薔薇。

2

他倆斷守了一天，

有時脈脈無言地對着，
有時他在上面一步兩步地徘徊着，
她在下面吟歎似地搖擺着，
無聲的，雲兒草兒所不能了解的言語，
替他倆傳達了多少柔微的悲哀。
如今，他却要離她而去了。

3

他看住她，
一步步向後倒退着跑。
她雪一般的臉上
籠罩着一層淡淡的黃金，——
這是他臨別所贈的愛吻。

4

——夜從東方趕來，
他祇得向樹梢之下退去。
樹兒遮住了他的眼光了，
她的臉立刻蒼白得同石膏的造像一般，
簌簌地抖顫起來。
一會兒細碎閃爍的金光
又像篩下的一般落到她的臉上，——
他又從樹葉兒底空隙裏窺見了她了。

5

於是擁護着她的成牆的綠葉
一齊沙沙沙沙地搖擺鼓噪起來：
「哦！
皇帝這般眷戀我們的后呀！」

梅雨之夜

1

黑沉沉的夜
抛了錨停在窗外太空底海裏，
絲毫也不向前移動，
疏疏落落的雨
慢一陣緊一陣地

埋怨着，催逼着。
窗裏幾次要結成的夢
都給他淅瀝淅瀝的
在梧桐葉上打碎了。

2

被沉寂底符咒鎭壓住的屋裏，
只有一盞昏昏要睡的電燈看守着，
幻景就大膽從窗外進來了：
　靜悄悄的鄉下，
亂箭似的雨
　正想射穿那懸着的厚的黑夜。
　一個燈籠引着一乘小車，
　一個人推着
兩個大蔴布袋在車上睏着。
一陣風來，把燈籠吹轉了起來，
他很害羞地露出身上底『郵政局』三個
　字來。

3

淅瀝，淅瀝，
淅瀝，淅瀝，
梧桐葉上又很急地響了起來，
屋裏底幻景就給他嚇走了。
『哦！
　雨呀，

江南江北都下的雨呀，
她寫的信
　也在這個蔴布袋裏咧，
不要統統給你打濕了？』

等她回來

夜夜的相思淚，——
因爲有她的小影化在裏面，——
不忍用手巾揩了，
都移近來滴在她贈我的一朵白花底心裏。
如今花紅得像胭脂了，
我祇有留下來等她回來了……

水手

1

月在天上，
船在海上，
他兩隻手捧住面孔，
躲在擺舵的黑暗地方。

2

他怕見月兒眨眼，
海兒掀浪，
引他看水天接處的故鄉。
但他却想到了
石榴花開得鮮明的井旁，
那人兒正架竹子，
曬她的青布衣裳。

竹

幾千竿竹子
擁擠着立在一方田裏，
碧青的，
鮮綠的，——
這是生命底光，
——青春底吻所留的潤澤呀。
他們自自在在地隨風搖擺着，
輕輕巧巧地互相安慰撫摩着，
各把肩上一片片的日光
相與推讓移卸着。
這不又是從和諧的生活裏
流出來的無聲的音樂麼？

姊妹底歸思

紅的，白的兩朵月季花
供在牀頭底小几上。
夜半醒來，
聽見沙沙沙沙的聲音，
又細碎，
又愀愴，
像是歎惜，
又像是唱：
『你看窗外的月色
今朝有多亮喲！

這時候想已照到我們爬着在的牆上了。
家中的姊妹們喲，
我已不知落到了那裏，
怎知道你們現在是怎麼樣呢？』
『是的，
這時候月亮兒定已照到了牆上，
姊妹們正在月下思念我們呢。
金瓶，玉液，
縱然把我們扶持得好，
正抵得喝喝露水，
拜拜月兒，
逍遙於我自然之故鄉呢？』

第八集

鄭振鐸作

第八集目錄

祈禱

汽車飛快地駛過去，
迫近地駛過坐着五六個女工的手車旁邊，幾乎把他衝翻。
女工們的臉，因恐怖而變白了。
汽車却從容無事地照着先前的速度駛去了。
我憤怒，我想大聲地說話。
但是我不能說什麼，
只是合掌地祈禱。

大雨濘泥中，
一個十三四歲的孩子拉着車兒向北跑。
他小手用力地壓在車柄上，兩肘向上反舉。
車上坐着一個年齡和身體至少都比他大兩倍的八。
我看着有點奇怪。
但是我不能說什麼，
只是合掌地祈禱。
年老的骨瘦如柴的車夫向我殷勤地招呼。
我不忍看他，避開走了。
他却悻悻地說：

『嫌我老麼？我跑得很快呢！
年輕人不一定跑得快。』
但是我不能說什麼，
只是合掌地祈禱。
　　血腥撲鼻地，
從我身旁呀呀地推過幾輛血肉模糊的車子。
牛的肉，牛的頭——
他們的眼睛還像朦朧地向道旁注視呢！
我的心突然給重負壓住了。
但是我不能說什麼，
只是合掌地祈禱。

在電車上

　三等車裏擁擠得不堪了，
頭等車裏祇坐着三個人。
中間不過隔了一扇玻璃的門。
愚蠢的人類呀，
你們爲什麼不把這扇門打破了，
大家坐得舒服些？

柳

春風徐徐地吹拂着
枯黃的柳絲微微地綠了。

雁蕩山之頂

紅的白的杜鵑花，
隨意在山徑旁開着。
我迎着淙淙的溪聲，
上了瀑布之頂——
雁蕩山之頂。
疲倦了的夕陽光，
只照我一個人的身上。
偶然有幾隻歸巢的烏鴉，在沉寂的空中呀呀
地叫了幾聲。
凄涼的感覺，
突然沁入我全身的細胞中。
『荒山不可以久留，
還是歸來好。』
這樣地，我便復歸於喧囂的人間。
人間雖喧囂，
想把我的心牢牢地維繫住了。

死了的小弟弟

雖然我們只見了五六面，
但是這初生嬰孩的最後的啞而不揚的哭聲，
至今還使我負着悲哀的重擔。

夜遊三潭印月

船夫一槳一槳地
把我們由萬點燈火之湖濱，送到萬點螢光之蘆中。
但K君的歌聲，

却使閣閣的蛙聲頓然停止了。

成人之哭

小孩子大聲地哭。
但是成人的眼淚却是向腹中流的。
可憐的成人呀！

J君的話

「心中有了「相思」，好像多了一件東西，

又好像少了一件東西』
我不懂J君的話，
但是——怕了。

社會

金魚養在白磁盆裏，
很美麗地在翠綠的水草間游來游去。
一到了波濤洶湧的大海中，
誰也找不到他了。

小魚

小魚成羣的在清澈見底的山溪裏游着。
孩子見了水面唼喋的波紋，
不經意地拾了一塊石子擲過去。
小魚的和平生活破壞了。

赤子之心

——贈聖陶——

我們不過是窮乏的小孩子。
偶然想假裝富有，
臉便先紅了。

母親

人都是自私的。
成功的時候，誰也是朋友。
但只有母親——
她是失敗時的伴侶。
人的心都是藏在衣袋裏的。

甜如蜜的話，可以不經意地說。
但只有母親——
她的淚，滴滴由心之深處滴出。

荊棘

幾個穿着白羅衫的人，倚在朱紅的欄干
上看荷花；
一個說；荷花的清香，令人聞之神爽。
別一個說：翠綠的荷蓋與粉紅色的荷花是非
常地可愛的。

他們都帶着貪婪與羨慕之心向荷花看着。
荷花因恐怖發抖了。
荊棘立在池旁自幸。
一對愛人細聲地親密地談着。
他們走到池邊的草亭上坐下。
亭旁走過一個少女，他貪婪地看了幾眼，過往
的少年也常常引起她的注意。
但是他們還繼續地細聲而親密地談着。
他偶然見了紅玫瑰立在牆角，走下亭來，採了
一朵，愼重地把他佩在她的衣襟上，說道：「
我愛你！永永地愛你！」
荊棘卑夷地笑了。

一株梨樹

一株梨樹，立在庭前，
春天到了，
便披上綠裳，
開着白如雪朵的花。
三天，四天，
花瓣落了。
再過了幾月，
枯黃了的葉子也落了——

祇隨着秋風在庭中亂轉。

旅程

一個人在旅行。
他執着手杖，走過山野，走過森林，渡過溪流。
白兔子從草叢中窺見了他屏息戰慄心想：『這是一個可憎惡的獵人罷？』
松鼠們坐在松枝上閒談；被他的足聲驚得四散。他們從濃密的松針裏偷偷地望着，心裏想道：『可怕的人類來了！不知那個小兄弟，又要受他的摧殘了？』
鳥也帶着恐怖，拍拍地從樹間飛起。
松柏搖頭嘆氣道『貪婪的樵夫又來了』。
荆棘持膽立在路旁等着他自誇他是不怕的。但也終於低頭戰慄。
小溪蹙額嗚咽地流過山間，絕望地哭道：『我的親愛的魚兒呀，漁翁來了，來了！』
但是『森林之子們』呀，
請不要發愁，
他——他不過是一個過路的旅客。

『回憶』

『回憶』呀！
讓『過去的悲哀』安靜地躺在墳裏，
永久地安靜地躺在他的墳裏罷！
不要掘起他——
不要掘起他！
他是魔鬼，
是一個慣於撕裂人心的魔鬼呀！
『回憶』呀！
讓『過去的悲哀』，安靜地躺在坟裏，
永久地安靜地躺在他的墳裏罷！

他已經在過去的時候，
把我的心撕裂得粉碎了。
『回憶』呀！
請不要再掘起他，
我的脆弱之心禁不起好多次的搗擊呀！

靜

窗外室內，靜悄悄地沒有一點聲響。
抬頭只看見一方天井，幾棵寒梅。
麻雀飛到窗台上，嗦嗦地叫了幾聲，

又飛去了。
我的心，
沉，沉，沉到無底的深淵裏去。
唉，
煩悶的黴菌又侵入我的身中心中，
把我的全部的心靈占領了。

忘了

穿着破衣的乞丐，
終日在街上游蕩；
秋風起了，吹得他索索的抖。
白衣的死神一天來把他帶走。
他什麼也忘了。

壯健而有威嚴的將軍，
默默地在看地圖，
有時也忙於觀戰。
勝利的呼聲使得他驕貴過於一切。
白衣的死神一天來把他帶走。
他什麼也忘了。

聰慧而富著作的文士，
祇是埋頭在案上寫字。
一年，一年，他的著作日多，

成了羣衆崇慕的中心。
白衣的死神一天來把他帶走。
他什麼也忘了。

　富商的手裏刻刻離不了算盤，
他經營了數十年，
成了國內的巨富。
誰也仰慕而妒忌着他。
白衣的死神一天來把他帶走。
他什麼也忘了。

　工人被無形的鍊鎖住，
永遠地在廠中礦中受苦。
農夫也辛勤了一生，
把背都耕得駝了。
白衣的死神一天來把他們帶去。
他們也什麼都忘了。

鼓聲

　『人生』帶着一面鼓，
一邊走着，一邊打着。
在悽涼的鼓聲中，
他一步步地向墓場走去。

本性

荊棘生來是有刺的，
他不以人的憎惡便把他的刺去了。
玫瑰花生來是嬌紅可愛的，
他不因人的采摘便變成醜惡了。

脆弱之心

高高地坐在人力車上，
我依靠了勞動者的力由南往北的跑着。
後邊追上了別一輛的車，
這個車夫的汗滴與迫切的呼吸聲，
終於迫我下車步行了。
　我很安逸地在馬路上走着；
旁邊推過了一輛獨輪車，
車上堆着一人高的貨物。
車夫的耶許聲與車輪的『依押』聲相應。
我的呼吸因此沈重了。

雞

——紀船中所見

一個水手由籠中取出幾隻雞和幾隻鴨來，
依次地把他們殺死。
只有一隻雞，由這個屠夫的手中脫逃了。
幾個人追着捉牠，
牠跳到船旁，跳到船尾，
終於被迫地跳到海中去了。
很奇怪，
爲了這隻英雄的雞，
我的午餐竟不能下嚥了。

有衛兵的車

一輛汽車極快極快的衝過去，
車沿上站了四個全付武裝的衛兵。
我全身爲憤怒所占領了。
祇要有武器呀——
就如我這樣懦弱的人
也要一試了。

侮辱

去年，我在北京，與濟之，菊農同坐車經過東安民巷口。我的車夫偶然觸了一个奉天人的身體。他大怒，罵了一頓，還趕過來打了車夫兩個耳光，還當他心口打了一拳，才氣憤憤地走了。車夫背地裏罵了幾聲，又同他同伴談了幾句他的聲音有些哽咽了。後來竟嗚咽着哭了。這個印象，我至今還清清楚楚地記着，想是永遠忘不掉了。

被侮辱的人，不要哭罷！
你的哭聲祇不過一聲聲打入我的心裏。
他們，
他們強暴的人能聽見麼？
被侮辱的人，不要哭罷！
像你，一樣的哭聲，一天還不知有多少呢。

從幾百幾千年來，你們的眼淚已成河了，已成海了。
誰還留意你的弱小的哭聲？
被侮辱的人，不要哭罷！
現在雖黑暗，
天氣終究會清朗的。
黑霧雖瀰漫四塞，
只要太陽一來，他們就會散開的。
被侮辱的人，不要哭罷！
讓我們做太陽，
讓我們做太陽光的一線。
祇要我們把無數線的太陽光集在一起，

就可以把黑霧散開了。

灰色的兵丁

我怕見兵士們。

他們執着槍，白亮亮的
刺刀的光，總在槍頭上閃耀着；
過往的行人，受他們的銳利的視線的注射，
不覺地引起灰色的生的感慨了。

小孩子

如果我還是一個小孩子——
黃昏的時候，母親叫我進屋去，
抱我坐在她的膝上，
唱歌給我聽，
講故事給我聽；
她用手拍我，
我漸漸地靠在她懷中睡了。
這是多少甜蜜，滿足的生活呀！
但是現在的我是成人了，
母親再也不抱我了。

如果我還是一個小孩子——
在下午的時候，同了許多小同伴，
在門外樹陰底下游戲。
我們可以任意地談話，說笑，
也可以隨意地爭論相鬭。
雖有極大的爭端，
不到一刻鐘，
便又手攜手地一同遊戲了。
這是多少快樂的生活呀！
但是現在的我是成人了，
誰也潛蓄着猜疑的心對我了。
如果我還是一個小孩子——

終日不擔心地在草地上遊逛，
有許多自由的天地，
隨便我們的意思行止。
我們用網來捉蝴蝶，
用泥沙來蓋房子，
也採摘了許多花，
坐下來編打花圈。
這是多少自由的生活呀！
但是現在的我是成人了，
一層層的世網，已經牢牢的縛住我們的周身，
不準我們自由行動了。

安慰

祇要把小孩子的玩具奪去了一次，
我們便曉得奪去一切成人的安慰
是如何的殘忍而且不人道了。

燕子

燕子問玫瑰花道：
『你也是有刺的，
爲什麼要開出美麗的花朵，供人類采摘呢？
荊棘，他因爲沒有花，所以沒有困擾。』
玫瑰花低了首輕輕地嘆氣道：
『人類也要斫伐荊棘呢！』
燕子無言地飛去了。
他飛了一程，停在一家瓦簷上。
天井中有許多雞。
主人請客，把肥的雞捉去殺了。
瘦的雞們驕傲地自幸。
但是不久主人因爲恐雞更瘦了，也連忙把他
們捉去殺了。
燕子見了，悲哀地飛去了。

他飛到山上，飛到森林中，飛到水邊，
擇一所無人之地住着；
他不忍再到人世間遊行了。

痛苦

痛苦是永久的。
他像蔓草，蔓延遍播於人的心上，雖被野火燒盡了，祇要春風微微地一吹，他又復活了。
他又像埃及的金字塔，小孩子看見他站在那裏，成人同樣的看見他。白髮的老人仍舊看見他站着。
所以孤獨人的悲哀與喪了兒子的母親的眼淚是永永不死，永永不乾枯的。
快樂不過是一瞥。
他像陰雨之夜的天空的電光，失路的人等待

雪

白潔的雪覆蓋了大地。
雪呀，爲什麼不更深更深地覆蓋下來，
把所有的『生』，都安靜地埋壓在下面呢？

了許久，但是他飛來一瞬，祇有一瞬，便又飛
去了。
他又像溪流遇見大石時所濺出的白色水花，
水流一平靜，他便不見了。
他祇不過在想望，尋求與回憶中存在着。

漂泊者

我們都不過是一個在生命之路上碌碌
奔波的漂泊者，
火車站便是我們的家。

誰能有一日的安居呢？

無報酬的工作

雨水灌溉了玫瑰花，但是當玫瑰花燦爛
地開着的時候，她還記住曾灌溉她的
小雨點麼？
工人辛辛苦苦地建築了馬路與鐵路。旅客坐
在車上疾馳而過。在他們的安樂裏，有誰會
想到了那些建築道路的辛苦的小工人呢？
唉，忘了便忘了，不要緊的。小小的勞苦算得了

什麼？

自由

『「自由，」他在什麼地方呢？』

一個國王，一個軍官，一個農夫和一個孩子會集在『生的曠原』中，這樣地互相問訊。

國王說道：『唉，我找「自由」許久許久了，但是終沒有找到。別人以爲我是王，一定可以脫離了一切的束縛。其實我是終日被「尊嚴」與「榮譽」的金冠覆蓋着的。一天到晚的我

都包圍在錦繡的幕裏，何曾看見「自由」呢？但是你們，你們是平常的百姓，可也會找到了「自由」麼？請告訴我。』

『沒有，陛下！』軍官答道，『我受你的支配，「責任」與「賞罰」的魔鬼終日跟隨着我，那裏還有工夫去尋找「自由」呢？但是你們，你們無責任的人，可也會找到了「自由」麼？請告訴我們。』

『唉，沒有！』農夫悲聲答道，『我是終日被「工作」「飢餓」與「賦稅」所困擾的。他們佈了一層層的鐵網在我四周，使我身裏心裏都沒有絲毫的餘暇，那裏會看見什麼「自由」

呢？但是你，小孩子，你是個快樂的，立在「生之網」以外的人，可也曾找到了「自由」麽？請告訴我們。」

『沒有沒有，』小孩子答道，『我母親愛護我，她一步也不許我離開。而且我還沒有讀書，不知道「自由」到什麼地方去找。』

他們徘徊於『生之曠原，』這樣地互相問詢，祇是找不到『自由』。

死之神由天空飛下，他說道：『你們要尋找「自由」麽？請隨我來。』

國王與軍官與農夫與孩子全都隨着死之神飛起來。他們飛了許久，到了死之宮；在那裏誰也是大而深陷的眼窩，細而白長的骨格；在那裏『尊嚴』與『責任』與『飢餓』與一切束縛人類的身與心的惡魔都徘徊門外而不能進去；在那裏一切都是寂靜而平安，超脫了所有的束縛。

在死之宮裏，他們最後找到了『自由』了。

空虛之心

（一）

祇有我，我的心是空虛的。

夜鶯唱着夜之歌。他的心被閃爍的星光，蔚藍的天空，與一切夜之美沈醉了。他的心的負載滿盈盈地，而且流溢在歌聲裏了。

螢火蟲棲息在湖濱蘆葦中，飲着葦葉上的露水，夜夜游行於綠色的水面上。他的心受了被夜風吹縐了的湖水與水面上反映着的自己身上射出的青白色的螢光所感動，祇是滿盈盈地，在水面上飄游着，如一隻滿載佳客的畫艇。

玫瑰花，紅的白的，互相依傍着。他們與他們的鄰人們，同發出優婉的清香，互相安慰着。他們的心裏都滿盈盈地裝載着和平之夢與甜美的微笑。

祇有我，我的心是空虛的。

（二）

我的心，他好像一隻空的船，漂泊在失望的海上，沒有風也是會顛簸的。

誰能仁愛地把些東西裝載在他上面呢？

『茉莉花圈是最有重量的裝載，一個，祇要一個，便可以使心之船充實了。』一個微聲這樣說。

我的心憧憧無歸路，在美麗的青紫色的黃昏裏，徘徊於盛開的茉莉花架下。

但是有誰呢？誰能把茉莉花圈做成呢？

（三）

我的心，他好像一個殷憂的病夫，在痛苦的牀上呻吟着。

誰能仁愛地把些藥來止住他的呻吟呢？

『祇有微笑，溫和的微笑，是醫治他的病的最好的藥。』一個人這樣地說。

我的心憧憧無歸路，在幼稚的淡黃色的早照裏，徘徊於撒滿清露的稻田中，尋找溫和的微笑。

但是有誰呢？誰能將溫和的微笑給他呢？

（四）

『工作』在田間喚道：『種秧的時候到了，
把綠油油的稻苗取來種下罷。』

但是我的心，他是空虛的，怎能耐得工作的勞苦呢？

百靈鳥高飛在晴明的空中，向着朝陽唱可愛的邀客的歌調。他唱道：『來吧，客人！隱在日光的金幕後邊的羣星正在宴會呢。來吧，赴宴的客人！』

但是我的心，他是空虛的，怎能耐得寂寞的長征呢？

空虛的心除了悵惘與彷徨與尋求以外，還能做些什麼事呢？

唉，我的心呀，你還不如死了的好！

中華民國十一年六月初版

雪朝一冊

每冊定價大洋伍角

（外埠酌加運費匯費）

著者 朱自清 周作人 俞平伯 徐玉諾 郭紹虞 葉紹鈞 劉延陵 鄭振鐸

發行者 商務印書館

印刷所 上海北河南路北首寶山路 商務印書館

總發行所 上海棋盤街中市 商務印書館

分售處 北京 天津 保定 奉天 吉林 龍江 濟南 太原 開封 鄭州 西安 南京 杭州 蘭谿 安慶 蕪湖 南昌 漢口 長沙 常德 衡州 成都 重慶 瀘縣 福州 廣州 潮州 香港 梧州 雲南 貴陽 張家口 新嘉坡 商務印書分館

八七二二滬

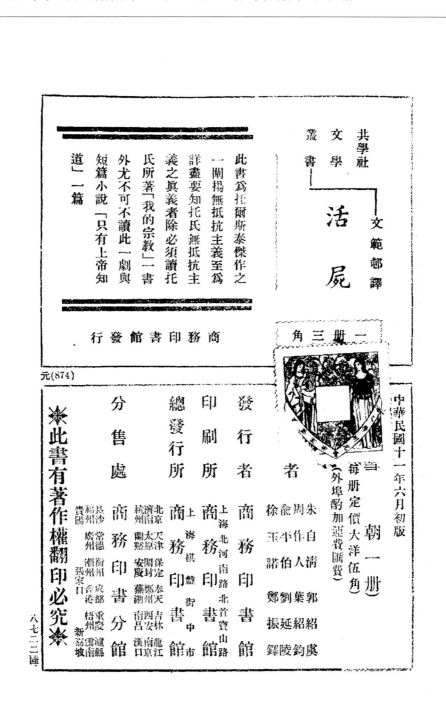

商　務　印　書　館　發　行

文學研究會叢書

創作集一

隔　　膜

是書爲葉聖陶先生之創作集，共二十篇。葉先生所作，必本於實地的觀察；故能描寫得極眞切，極感人。如「母」，「低能兒」，「隔膜」，等篇，讀者幾無不受其感動，甚至下淚者。總之人類眞摯的愛情到處活躍於各篇之中。讀之只覺此世尙非殘酷，人與人間的不盡隔膜，此種眞誠的提示，確可銷除近來一般靑年的憂悶，消極的病根。　一册定價五角

創作集二

小說彙刊

本書共有小說十六篇，作者有葉紹鈞，朱自清，廬隱女士，李之常，陳大悲，許地山，白序之諸君。都能於內容之外，兼注意於文辭，如「飯」，「雲翳」，「別」，諸作，其觀察之深刻，情緒之優婉，尤爲近年少見之作。　一册定價四角

文學研究會出版預告

一，工人綏惠略夫。此篇由魯迅君從俄文直譯，小說月報曾已登載，茲特印單行本，亦已排好，不日出版。

二，雪朝。已付印。爲朱自清，周作人，徐玉諾，郭紹虞，俞平伯，劉延陵，葉紹鈞，鄭振鐸等八人的詩集。

(942)

世界文學叢書

文學研究會編輯

第一種

春之循環

印度太戈爾原著劇本，瞿世英譯，是劇內容，述一國王見白髮而懼，詩人為作一劇，指示人生之意義。哲理至深，而譯筆極能明達，足藥青年的鬱悶病。文辭清麗飄逸，讀之令人心曠神怡。青年啊！覺得生活的煩悶嗎？何不一讀太戈爾的傑作呢？

定價每册三角

第二種

意門湖

是書為德國斯托爾姆之短篇名著，唐性天譯。是敘述孩兒的情愛之作，描寫情景，栩栩如生，蓋所表演者都為著者自己之經驗，所描寫者又是古鄉之風景，能使無數人與著者同情同感，得一深深的印象。且書中一言一動都有寓意，如讀者靜靜地會悟其意思，更覺趣味深長了。

定價每册二角五分

商務印書館發行

元(926)

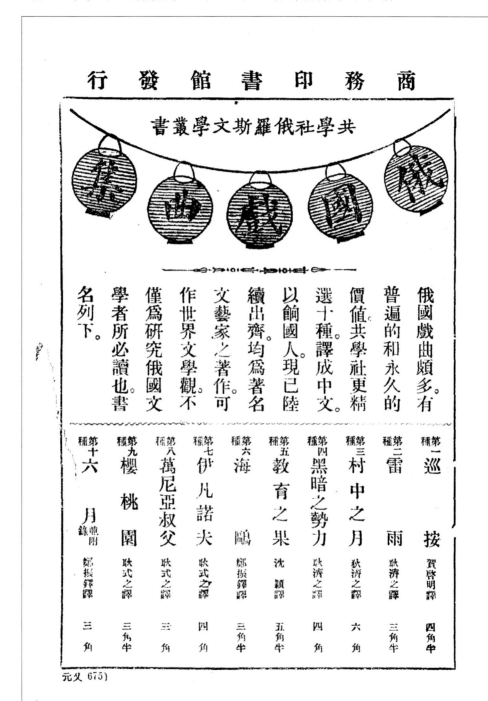

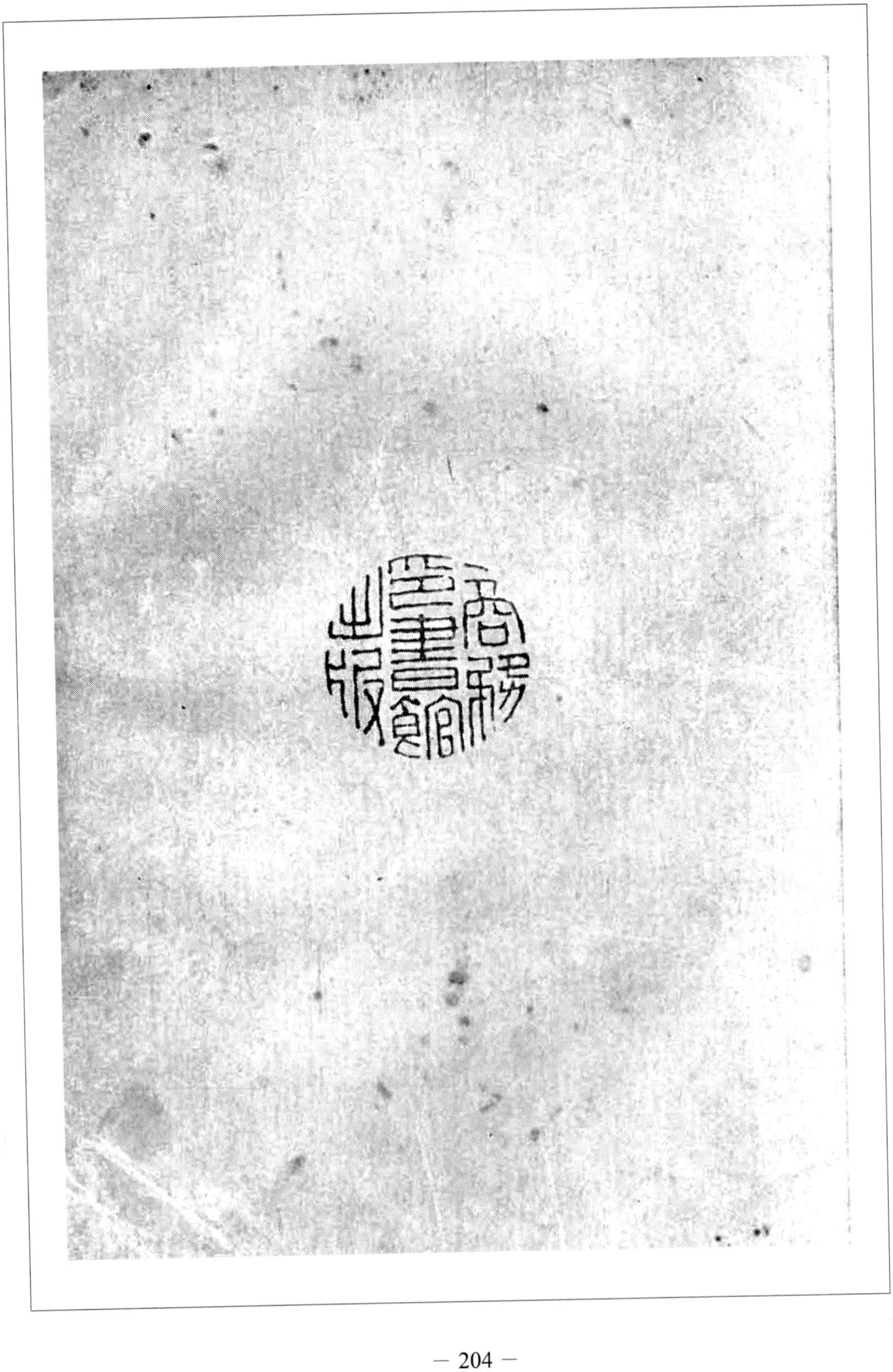